Por uma Arquitetura

Coleção Estudos
Dirigida por J. Guinsburg

Equipe de realização –Tradução: Ubirajara Rebouças; Planejamento gráfico: Lúcio Gomes Machado; Produção: Ricardo W. Neves e Sergio Kon.

Le Corbusier

POR UMA ARQUITETURA

Título do original francês
Vers une Architecture

Dados Internacionais de Catalogação na Publicação (CIP)
(Câmara Brasileira do Livro, SP, Brasil)

Le Corbusier, 1887-1965.
Por uma arquitetura / Le Corbusier ; tradução Ubirajara Rebouças. – São Paulo : Perspectiva, 2014. – (Coleção estudos ; 27 / dirigida por J. Guinsburg)

1. reimpr. da 7. ed. de 2013
Título original: Vers une architecture
ISBN 978-85-273-0142-8

1. Arquitetura I. Guinsburg, J.. II. Título.

04-4072 CDD-720

Índices para catálogo sistemático:
1. Arquitetura 720

7ª edição – 1ª reimpressão
[PPD]

Av. Brigadeiro Luís Antônio, 3025
01401-000 São Paulo SP Brasil
Telefax: (011) 3885-8388
www.editoraperspectiva.com.br

2019

Sumário

NOTA À PRESENTE EDIÇÃO

Utilizamo-nos, para a tradução e ilustrações constantes do Prefácio, da reimpressão *off-set* de 1958 (Éditions Vincent Freal & Cie., Paris). As demais ilustrações foram extraídas da 2ª edição tipográfica de 1924 (Les Éditions G. Grès & Cie., Paris).

Infelizmente os documentos originais não mais existem, motivo pelo qual recorremos ao material fotográfico já impresso, conforme entendimentos com a Fondation Le Corbusier. Os fotolitos foram executados a traço, sem a introdução de uma nova retícula. A dupla retícula que aparece em algumas ilustrações já existia no original.

Prefácio
Após Trinta e Oito Anos...

Em 1920-21, apareciam em Paris dez ou doze artigos, desde o primeiro número de "l'Esprit Nouveau", sob a assinatura Le Corbusier, nome que se imprimia pela primeira vez por ocasião dessa pesquisa arquitetural.

Em 1922, o Diretor das Edições de la Sirène, Paul Laffite, julgou que esses artigos valiam alguma coisa; desejava reuni-los em um livro. As Edições Crès realizaram o desejo de Paul Laffite. O livro foi publicado em 1923 sob o título de *Vers une Architecture*, de Le Corbusier-Saugnier, abrindo a "Collection de l'Esprit Nouveau". O nome Saugnier foi eliminado quando das reimpressões, até 1931.

Nesse intervalo, várias obras de Le Corbusier alimentavam a Coleção: 1924, *Urbanisme;* 1925, *L'Art Décoratif d'Aujourd'hui;* 1926, *Almanach d'Architecture Moderne;* 1928, *Une Maison — Un Palais*; 1930, *Précisions sur un Etat Présent de l'Architecture et de l'Urbanisme*; 1930, *Croisade ou le Crépuscule des Académies.*

As Edições Crès tendo desaparecido, esse ciclo de idéias de "l'Esprit Nouveau" — cujo subtítulo *Revue d'Esthétique* se transformara em *Revue Internationale Illusiré de l'Activité Contemporaine* — eclipsou-se (o que não impediu de modo algum a terra de girar), porém teve como efeito privar de suas referências (ou de suas fontes) uma certa maneira de pensar.

Como o tempo era escasso, os dias e os anos passando rapidamente, ocupados (por nós) em pesquisar uma arquitetura, um urbanismo, um quadro de vida, uma ética e uma estética da arte de construir, em reconhecer tecnicidades novas e as expressões válidas dessas técnicas animadas de espírito novo, uma coisa excluindo a outra, a ameaça hitleriana emergindo, a guerra chegando, as batalhas da reconstrução começando, uma lenda se estabelecia, sem base sólida, em torno da obra empreendida, deformando talvez seu princípio e seu espírito... 1923/1958 ou 1931/1958, trinta e cinco ou vinte e sete anos tinham se passado, — o ante-guerra, a guerra e o pós-guerra — tinham oposto obstáculos às reimpressões reclamadas tantas vezes. Hoje o acontecimento se produz: a "Collection de l'Esprit Nouveau" é reconstituída.

Durante tão longo silêncio, a execução de uma arquitetura de espírito novo se tornava um fato graças ao esforço surgido no mundo inteiro e particularmente pelo labor de pessoas já falecidas ou pessoas octogenárias, septuagenárias e sexagenárias ainda vivas, cada qual tendo trazido o seu alento.

O mais difícil para o editor foi a obrigação de se dobrar à vontade do autor que só autorizava a reimpressão de *Vers une Architecture* sob a condição de lhe manter sua primeira forma sem mudar uma linha, nem uma palavra, nem uma imagem. A "Collection de l'Esprit Nouveau" será reproduzida em *off-set,* procedimento que exclui qualquer retoque, transmitindo integralmente, por fotografia, o livro de 1923.

Geralmente os livros não se imprimiam assim em 1920/21. Os *lay-out* de meus artigos (então reunidos) provocaram o espanto, a indignação da Gráfica Arrault em Tours (nosso impressor); eles diziam, falando de mim: "É um louco!" Desde então! E ressalte-se que isso era a propósito de tipografia e de ofício (tipografia).

Vers une Architecture (1920/21) testemunha um espírito próprio.

Dentro de um mesmo espírito, o caminho percorrido até aqui conduziu às manifestações de idade madura, em que a arte floresce ou amadurece, como se queira. Pessoas refinadas, habituadas aos salões (em Paris ou nos EUA), qualificam-me hoje de arquiteto "barroco". É a mais atroz designação que possa me ser conferida. Tratado de "engenheiro sujo" em 1920 (eu o aceitava), eis-me aqui no outro lado dos infernos, — nos extremos...!

Talvez seja uma felicidade ainda ser xingado aos 70 anos!!!

Paris, 17 de janeiro de 1958. LE CORBUSIER.

Marselha. O teto.

Marselha. Os pilotis.

1931. Palácio dos Sovietes

1947. Plano para a ONU sobre East-River, em New York.

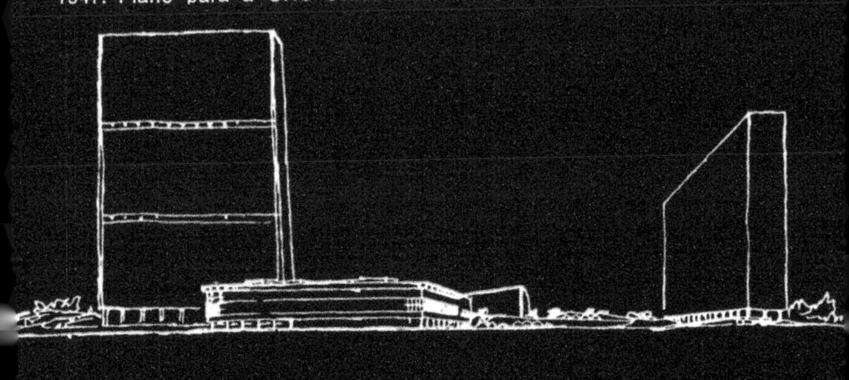

...ation du siège des Nations Unies sur l'East River
par Le Corbusier, du 26 janvier 1947 au 27 mars 1947
...présent dessin a été fait le 27 mars 1947 par L-C
RKO Building 21me Etage, à New-York.

1954. CHANDIGARH. O Palácio da Corte Suprema.

"Temperatura" Por Ocasião da Terceira Edição

Em 1924, em todos os países, "a arquitetura se ocupa da casa, da casa comum e habitual, para homens normais e comuns. Ela despreza os palácios. Eis um sinal dos tempos". (Introdução à segunda edição.)

Os povos, reunidos em uma Liga das Nações, tentam organizar o pós-guerra sob o signo de um novo espírito. Em Genebra, um organismo cresce, funciona, produz; está abrigado em uma instalação provisória.

1926: A Liga das Nações abre solenemente no mundo inteiro um concurso para a construção de um *Palácio das Nações*. Programa singularmente bem estabelecido, reclamando arquitetos, órgãos de trabalho precisos e eficazes. Programa preparado por homens de negócios que necessitam de escritórios onde reinem a eficiência, a precisão, a rapidez. Lemos esse programa: estamos verdadeiramente no século XX; o objeto do *Palácio* é a *administração,* não mais a ostentação. Acontecimento histórico. De tal modo que uma coisa soa de modo estranho; trata-se no início desse programa, da palavra *Palácio*. Essa palavra *palácio* parece ambígua. Seria um fantasma de peruca? Ou a L.D.N. pretende dar a esse termo vetusto um sentido novo?

Em 1924: "Estudar a casa para o homem corrente, qualquer um, é reencontrar as bases humanas, a escala humana, a necessidade-tipo, a função-tipo, a *emoção-tipo*. Eis aí. Isso é capital. Isso é tudo.

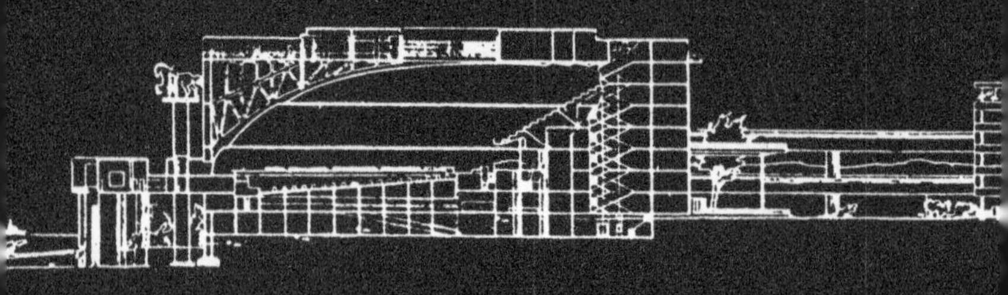

LE CORBUSIER e PIERRE JEANNERET.

O PALACIO DAS NAÇÕES EM GENEBRA.

Primeiro prêmio do Concurso Internacional de Arquitetura.

Corte

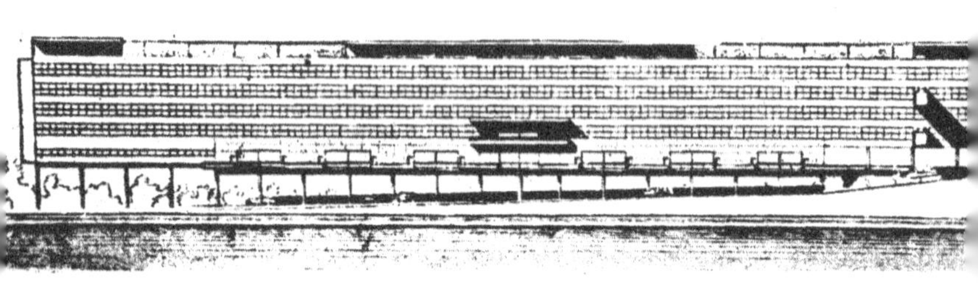

A fachada dos Escritórios, elevada sobre pilotis.

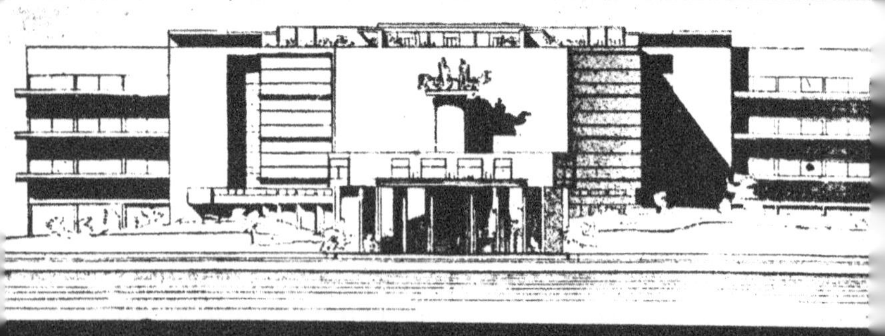

A fachada do edifício da Grande Sala.

O edifício dos Escritórios.

A grande plataforma da Sala das Assembléias.

À esquerda, os edifícios do Secretariado, das Pequenas Comissões e da Biblioteca; à direita, o edifício da Grande Sala, das Grandes Comissões e do Conselho.

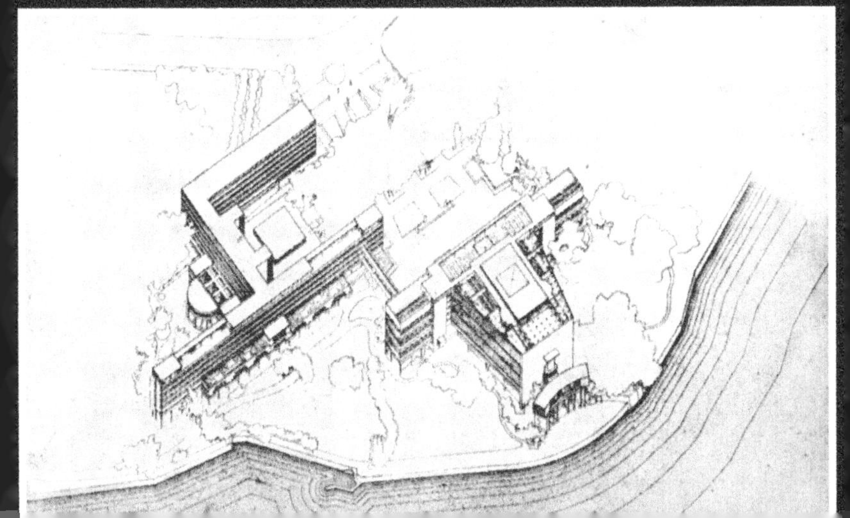

O PALÁCIO DAS NAÇÕES.

O Palácio visto do lago.

Planta de situação do Palácio com a prevista extensão para leste.

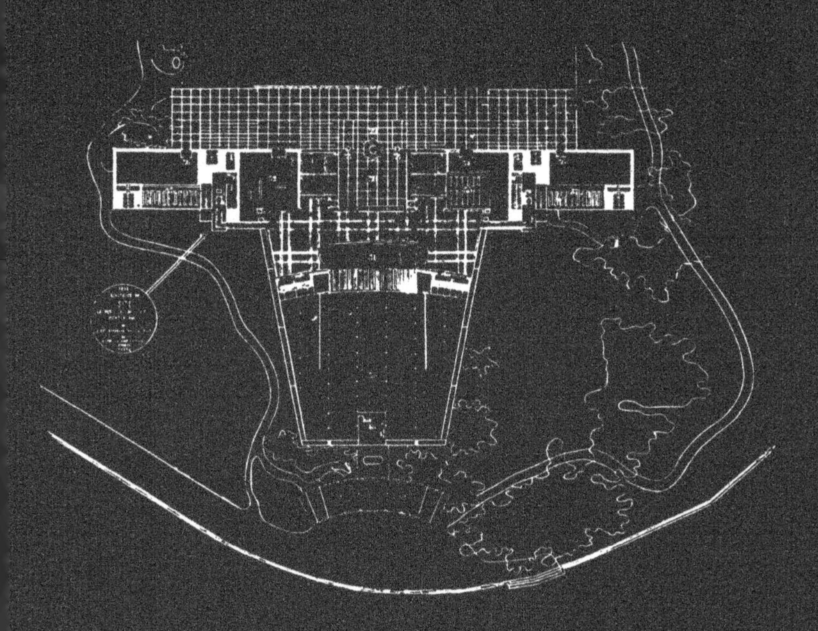

Edifício da Grande Sala. A plataforma de chegada e os vestíbulos.

A Grande Sala — A Sala de Espera, o Pavilhão do Presidente.

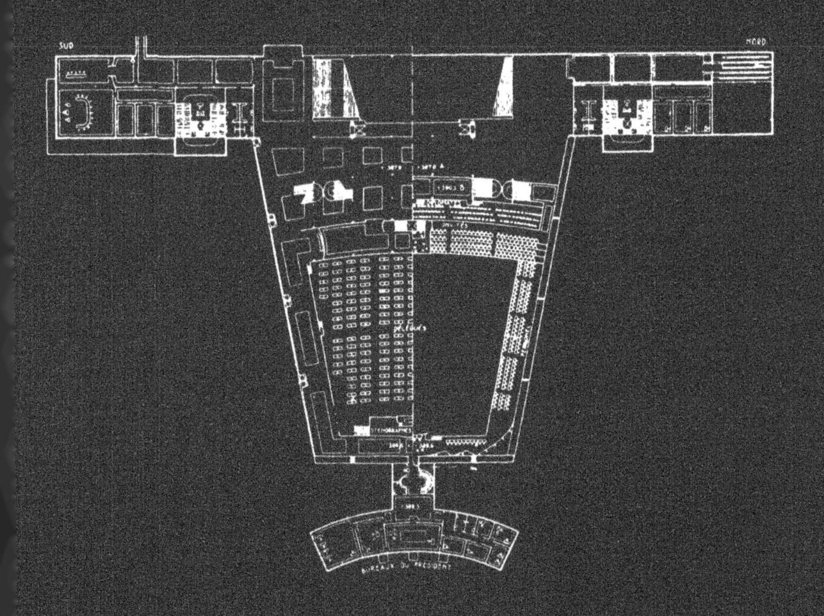

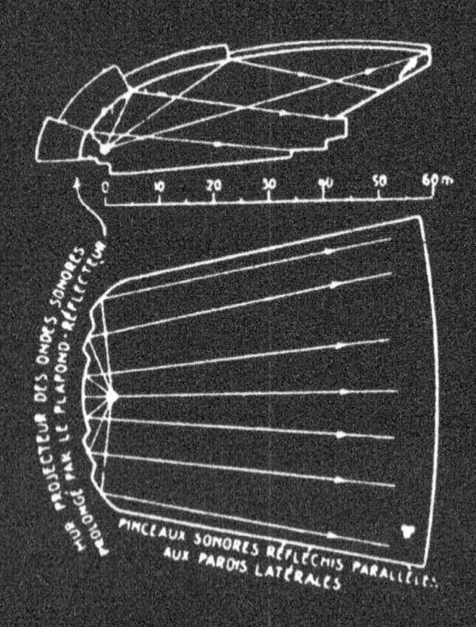

A forma da Grande Sala, em planta e em corte, é totalmente determinada pela épura de acústica, cujo efeito é de dirigir as ondas sonoras de maneiras a ampliá-las e conduzi-las sem retorno nem atraso ao ouvido dos auditores mais afastados.

A estrutura da mesma sala se conjuga com as formas impostas pela acústica em uma perfeita harmonia, dando uma solução ousada, mas da maior economia.

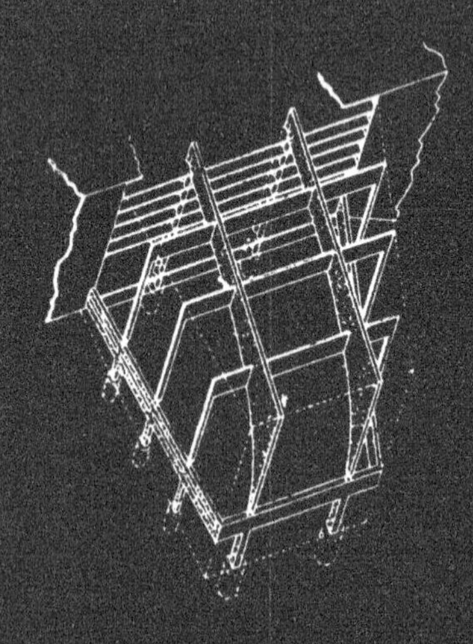

PALÁCIO DAS NAÇÕES.

O grande corte da Sala, com seus detalhes tão completos, é um verdadeiro corte anatômico: tudo é previsto, resolvido. Nada mais é deixado à improvisação.

O Palácio, se inserindo no local, onde não causa perturbação, salvaguarda a magnífica paisagem.

A geometria das formas arquiteturais entra em sinfonia com as riquezas naturais do local.

É sob os pilotis que se organiza uma grande parte da circulação automobilística nos dias de grande afluência.

"Digno período que se anuncia no qual o homem abandonou o luxo." (Introdução à segunda edição.)

Em 1921, quando da criação de "l'Esprit Nouveau", ao aparecerem os primeiros artigos que formam esse livro, a arquitetura, por toda parte, era nutrida ainda pelo espírito escolástico e se negava ao acontecimento moderno, se negava às *conseqüências* inquietantes das novas técnicas; ela ainda "vestia".

Mas no dia de hoje, 1.º de janeiro de 1928, — seis anos mais tarde — ei-la absorvida em toda parte na realização do verdadeiro problema: a casa moderna. Programa de habitação moderna, meios técnicos modernos, força de organização moderna, criaram em todos os países as casas da época para homem moderno.

Será verdade? A casa-instrumento, a "máquina de morar" tornou-se moeda corrente? A máquina de *morar como?* Como ontem ou como hoje? A resposta não é muito precisa. Se as instalações sanitárias são levadas em consideração, em compensação o *sentimento* que habita em nossos corações seria ele exprimido e se manifestaria nitidamente em nós? Oh! Nada disso! Estou convencido de que arrastamos enormes pedaços de nossa vestimenta sentimental de outrora. A construção, em Stuttgart, no ano de 1926, da cidade-jardim de Weissenhoff por catorze arquitetos notórios, revelou a existência de procedimentos técnicos, uma tendência estética, porém, não fez mais que dividir o público em dois campos antagônicos, porque uma *planta moderna* da casa não se impusera. Nós, porém, tirando partido das liberdades imensas proporcionadas pelas novas técnicas, buscamos prever uma *nova planta.* Quando uma época possui a planta de uma habitação, é sua evolução social que se fixou e existe um equilíbrio. Não chegamos a esse ponto.

Tendo reclamado (e obtido) outrora a aquiescência de pessoas de bom entendimento — era o ponto revolucionário do presente livro — e tendo reivindicado a "máquina de morar", revolucionamos desde então essa opinião bem nova quando pretendemos que essa máquina podia ser um *palácio.* E por palácio queríamos significar que cada órgão da casa, pela qualidade de sua disposição no conjunto, podia entrar em tais relações comoventes capazes de desvelar a grandeza e a nobreza de uma *intenção.* E essa intenção era para nós a *arquitetura.* A aqueles que, absorvidos agora pelo problema da "máquina de morar" declaravam: "a arquitetura é servir", nós respondemos: "a arquitetura é emocionar". E fomos taxados de "poeta" com desdém.

Os laureados da última hora: Senhores Nenot, Broggi e Vago.

A razão perdeu o equilíbrio! O Palácio não é mais uma máquina para trabalhar, é um mausoléu representativo. A Academia triunfa!

A última obra do cenarista do julgamento do concurso: O novo Círculo Militar da praça Saint-Augustin, em Paris.

O Sr. Lemaresquier, Professor da Escola de Belas-Artes, conseguiu, com um "truque" clássico, reduzir à paridade com oito outros, o projeto Le Corbusier e Pierre Jeanneret, designado para a execução por uma maioria dos membros do juri.

Uma casa — um palácio. Pensávamos poder reservar para esta tarefa contemporânea aquilo que há de mais absorvente na nossa atividade.

Ora, em 1926, a Liga das Nações interpela os arquitetos de todos os países, pedindo-lhes um *palácio.*

Imediatamente, concebemos a situação através desse conceito: *um palácio — uma casa.* O programa, tão preciso, aliás, nos convida a isso. Trata-se, para Genebra, de um imenso edifício de administração *.

Será algo diferente de "estudar a casa para o homem comum", "qualquer um", será algo mais que reencontrar as bases humanas, a escala humana, a necessidade-tipo, será outra coisa que reencontrar a *emoção-tipo?* A emoção arquitetural "é o jogo sábio, correto e magnífico dos volumes sob a luz" (pedra angular de nossa intervenção no movimento arquitetural em 1921 em "l'Esprit Nouveau").

Estimáramos que um palácio era destinado a preencher funções precisas para o uso de homens "quaisquer". Escala humana, funções-tipo etc. E nos absorvemos na análise; nossa alegria foi a de criar um palácio feito exatamente com os elementos de nossas cidades-jardim, de nossas mansões particulares, de nossas casas de aluguel. Sonhando então com uma *planta,* procuramos ordenar esses órgãos vivos e produtivos conforme uma alta intenção arquitetural: emocionar pela grandeza da intenção.

Foi assim que, fiéis ao dever arquitetural, apresentáramos em Genebra um *palácio moderno.*

Ah, mas que escândalo! Escândalo na Academia que mobilizou todas as suas tropas. Suas tropas enviaram para Genebra algo como dez quilômetros de plantas, pálidos reflexos de atitudes históricas. A opinião se manifesta: decididamente o mundo não está tão avançado como acreditávamos; a "boa sociedade" espera um *palácio* e para ela o verdadeiro palácio existe nas imagens registradas durante uma viagem de núpcias aos países dos príncipes, dos cardeais, dos doges ou dos reis.

É verdadeiramente trágico: a sociedade moderna está em plena transformação, tudo é transtornado pela máquina; a evolução seguiu durante cem anos um ritmo alucinante;

(*) No prelo: *UMA CASA-UM PALACIO* — em busca de uma unidade arquitetural, Edições Crès et Cie, "Collection de l'Esprit Nouveau".

uma cortina caiu, fechando-se para sempre sobre o que foi dos nossos usos, dos nossos meios, de nossas obras; diante de nós se abre a extensão e o mundo inteiro se precipitou nela. A Liga das Nações *volta para trás da cortina.*

Pensávamos que esse livro *Vers une Architecture* tinha cumprido sua missão. Sendo um manifesto, tivera sua hora, e estava acabado. O veredicto da Liga das Nações (22 de dezembro 1927) faz medir a verdadeira situação. O veredicto dá a *temperatura* da época.

O Senhor Nénot, arquiteto, membro do Instituto, presidente da Academia de Belas-Artes, construtor da Sorbonne, vencedor da batalha para o *Palácio das Nações,* nos confirma a temperatura.

"Sinto-me feliz pela Arte simplesmente; a equipe francesa (SIC; e os outros arquitetos de Paris?) tinha por objetivo, quando aceitou a concorrência, derrotar a barbárie. Chamamos barbárie uma certa arquitetura que faz furor desde alguns anos, na Europa Oriental e Setentrional... Ela nega todas as belas épocas da história e, de qualquer modo, insulta o senso comum e o bom gosto. Ela foi vencida, tudo está bem."

(Entrevista do *Intransigeant,* 24 de dezembro de 1927).

Então, *Vers une Architecture* permanece mobilizado. Depois das traduções alemã, inglesa e americana, esse livro-manifesto retoma o cabresto e continua seu trabalho.

Esse manifesto, aí de mim! ainda é atual.

1.º de janeiro de 1928.

Roteiro

ESTÉTICA DO ENGENHEIRO, ARQUITETURA

Estética do engenheiro, arquitetura, duas coisas solidárias, consecutivas, uma em pleno florescimento, a outra em penosa regressão.

O engenheiro, inspirado pela lei de economia e conduzido pelo cálculo, nos põe em acordo com as leis do universo. Atinge a harmonia.

O arquiteto, ordenando formas, realiza uma ordem que é uma pura criação de seu espírito; pelas formas afeta intensamente nossos sentidos, provocando emoções plásticas; pelas relações que cria, ele desperta em nós ressonâncias profundas, nos dá a medida de uma ordem que sentimos em consonância com a ordem do mundo, determina movimentos diversos de nosso espírito e de nossos sentimentos; é então que sentimos a beleza.

TRÊS LEMBRETES AOS SENHORES ARQUITETOS

O Volume

Nossos olhos são feitos para ver as formas sob a luz.

As formas primárias são as belas formas porque se lêem claramente.

Os arquitetos de hoje não realizam mais as formas simples.

Operando com o cálculo, os engenheiros usam formas geométricas, que satisfazem nossos olhos pela geometria e nosso espírito pela matemática; suas obras estão no caminho da grande arte.

A Superfície

Um volume é envolvido por uma superfície, uma superfície que é dividida conforme as diretrizes e as geratrizes do volume, marcando a individualidade desse volume.

Os arquitetos, hoje, têm medo dos constituintes geométricos das superfícies.

Os grandes problemas da construção moderna serão realizados sobre a geometria.

Sujeitos às estritas obrigações de um programa imperativo, os engenheiros empregam as geratrizes e as linhas reveladoras das formas. Criam fatos plásticos límpidos e impressionantes.

A Planta

A planta é a geradora.

Sem planta, há desordem, arbitrário.

A planta traz em si a essência da sensação.

Os grandes problemas de amanhã, ditados por necessidades coletivas, colocam de novo a questão da planta.

A vida moderna pede, espera uma nova planta, para a casa e para a cidade.

OS TRAÇADOS REGULADORES

No nascimento fatal da arquitetura.

A obrigação da ordem. O traçado regulador é uma garantia contra o arbitrário. Proporciona a satisfação do espírito.

O traçado regulador é um meio; não é uma receita. Sua escolha e suas modalidades de expressão fazem parte integrante da criação arquitetural.

OLHOS QUE NÃO VÊEM

Os Transatlânticos

Uma grande época começa.

Um espírito novo existe.

Existe uma multidão de obras de espírito novo; são encontradas sobretudo na produção industrial.

Os hábitos sufocam a arquitetura.

Os "estilos" são uma mentira.

O estilo é uma unidade de princípios que anima todas as obras de uma época e que resulta de um estado de espírito caracterizado.

Nossa época fixa cada dia seu estilo.

Nossos olhos, infelizmente, não sabem discerni-lo ainda

Os Aviões

O avião é um produto de alta seleção.

A lição do avião está na lógica que presidiu ao enunciado do problema e à sua realização.

O problema da casa não está colocado.

As coisas atuais da arquitetura não respondem mais às nossas necessidades.

No entanto os padrões da habitação existem.

A mecânica traz consigo o fator de economia que seleciona.

A casa é uma máquina de morar.

Os Carros

É necessário tender para o estabelecimento de padrões para poder enfrentar o problema da perfeição.

O Parthenon é um produto de seleção aplicada a um padrão.

A arquitetura age sobre os padrões.

Os padrões são coisa de lógica, de análise, de estudo escrupuloso; são estabelecidos a partir de um problema bem colocado. A experimentação fixa definitivamente o padrão.

ARQUITETURA

A Lição de Roma

A arquitetura estabelece relações comoventes com materiais brutos.

A arquitetura está além das coisas utilitárias.

A arquitetura é assunto de plástica.

Espírito de ordem, unidade de intenção.

O sentido das relações; a arquitetura trabalha com quantidades.

A paixão faz das pedras inertes, um drama.

A Ilusão das Plantas

A planta procede de dentro para fora; o exterior é o resultado de um interior.

Os elementos arquiteturais são a luz e a sombra, a parede e o espaço.

A ordenação é a hierarquia dos fins, a classificação das intenções.

O homem vê os objetos da arquitetura com seus olhos que estão a 1,70m do solo. Podemos contar somente com objetivos acessíveis ao olho, com intenções que mostram os elementos da arquitetura. Se contamos com intenções que não são da linguagem da arquitetura, atingimos a ilusão das plantas, transgredimos as regras das plantas por uma ausência de concepção ou por inclinação para as vaidades.

Pura Criação do Espírito

A modenatura é a pedra de toque do arquiteto.

Este se revela artista ou simples engenheiro.

A modenatura é livre de qualquer coerção.

Não se trata mais nem de usos, nem de tradições, nem de procedimentos construtivos, nem de adaptações a necessidades utilitárias.

A modenatura é uma pura criação do espírito; ela exige o plástico.

CASAS EM SÉRIE

Uma grande época começa.

Um espírito novo existe.

A indústria, exuberante como um rio que rola para seu destino, nos traz os novos instrumentos adaptados a esta época nova animada de espírito novo.

A lei de economia administra imperativamente nossos atos e nosos pensamentos.

O problema da casa é um problema de época. O equilíbrio das sociedades hoje depende dele. A arquitetura tem como primeiro dever, em uma época de renovação, operar a revisão dos valores, a revisão dos elementos constitutivos da casa.

A série está baseada sobre a análise e a experimentação.

A grande indústria deve se ocupar da construção e estabelecer em série os elementos da casa.

É preciso criar o estado de espírito da série.

O estado de espírito de construir casas em série.

O estado de espírito de residir em casas em série.

O estado de espírito de conceber casas em série.

Se arrancarmos do coração e do espírito os conceitos imóveis da casa e se encararmos a questão de um ponto de vista crítico e objetivo, chegaremos à casa-instrumento, casa em série, sadia (inclusive moralmente) e bela pela estética dos instrumentos de trabalho que acompanham nossa existência.

Bela também com toda animação que o sentido artista pode conferir a órgãos estritos e puros.

ARQUITETURA OU REVOLUÇÃO

Em todos os domínios da indústria, colocou-se problemas novos, criou-se um instrumental capaz de resolvê-los. Se esse fato é colocado em face do passado, há revolução.

Na construção começou-se a fabricar a peça em série; a partir de novas necessidades econômicas, criou-se elementos de detalhe e elementos de conjunto: realizações concludentes são feitas no detalhe e no conjunto. Se nos colocarmos diante do passado, há revolução nos métodos e na amplidão dos empreendimentos.

Enquanto que a história da arquitetura evolui lentamente através dos séculos, sobre modalidades de estruturas e decoração, em cinqüenta anos, o ferro e o cimento contribuíram com aquisições que são o índice de um grande poder de construção e o índice de uma arquitetura cujo código foi subvertido. Se nos colocamos em face do passado, veremos que os "estilos" não existem mais para nós e que um estilo de época foi elaborado; houve revolução.

Os espíritos, consciente ou inconscientemente, tomaram conhecimento desses acontecimentos; nasceram necessidades, consciente ou inconscientemente.

O mecanismo social, profundamente perturbado, oscila entre uma melhoria de importância histórica ou uma catástrofe.

O instinto primordial de todo ser vivo é de se assegurar um abrigo. As diversas classes ativas da sociedade não têm mais um abrigo conveniente, nem o operário nem o intelectual.

É uma questão de construção que está na chave do equilíbrio rompido hoje: arquitetura ou revolução.

Por uma Arquitetura

Estética do Engenheiro Arquitetura

Estética do engenheiro, arquitetura, duas coisas solidárias, consecutivas, uma em pleno florescimento, a outra em penosa regressão.

O engenheiro, inspirado pela lei de economia e conduzido pelo cálculo, nos põe em acordo com as leis do universo. Atinge a harmonia.

O arquiteto, ordenando formas, realiza uma ordem que é pura criação de seu espírito; pelas formas, afeta intensamente nossos sentidos, provocando emoções plásticas; pelas relações que cria, desperta em nós ressonâncias profundas, nos dá a medida de uma ordem que sentimos acordar com a ordem do mundo, determina movimentos diversos de nosso espírito e de nossos sentimentos; sentimos então a beleza.

Estética do engenheiro, arquitetura, duas coisas solidárias, consecutivas, uma em pleno florescimento, a outra em penosa regressão.

Questão de moralidade. A mentira é intolerável. Sucumbe-se na mentira.

A arquitetura é uma das mais urgentes necessidades do homem, visto que a casa sempre foi o indispensável e primeiro instrumento que ele se forjou. Os instrumentos do homem marcam as etapas da civilização, a idade da pedra, a idade do bronze, a idade de ferro. Os instrumentos procedem de aperfeiçoamentos sucessivos; neles se acumula o trabalho de gerações. O instrumento é a expressão direta, imediata do progresso. O instrumento é o colaborador obrigatório; ele é também aquele que liberta. O velho instrumento é jogado ao ferro velho: a escopeta, a colubrina, o fiacre e a velha locomotiva. Este gesto é uma manifestação de saúde, de saúde moral, também de moral; não temos o direito de produzir mal por causa de um mau instrumento; joga-se fora, substitui-se.

Porém os homens vivem em velhas casas e ainda não pensaram em construir casas para si. Gostam muito do próprio abrigo, desde tempos imemoriais. Tanto e tão fortemente que estabeleceram o culto sagrado da casa. Um *teto!* outros deuses lares. As religiões são fundadas sobre dogmas, os dogmas não mudam; as civilizações mudam; as religiões desmoronam apodrecidas. As casas não mudaram. A religião das casas permanece idêntica há séculos. A casa desabará.

Um homem que pratica uma religião e não crê nela, é um fraco, um infeliz. Somos infelizes por habitar casas indignas porque elas arruinam nossa saúde e nossa moral. Tornamo-nos seres sedentários, é o destino; a casa nos corrói em nossa imobilidade como uma tuberculose. Logo será preciso muitos sanatórios. Somos infelizes. Nossas casas nos repugnam; fugimos e freqüentamos os cafés e os bailes; ou então nos reunimos sombrios e escondidos nas casas como animais tristes. Nós nos desmoralizamos.

Os engenheiros constroem os instrumentos de seu tempo. Tudo, salvo as casas e as alcovas apodrecidas.

Há uma grande escola nacional de arquitetos e há em todos os países, escolas nacionais, regionais, municipais, de arquitetos, que embrulham inteligências jovens e lhes ensinam o falso, o artifício e as obsequiosidades dos cortesãos. Escolas nacionais!

Os engenheiros são viris e saudáveis, úteis e ativos, morais e alegres. Os arquitetos são desencantados e desocupados, faladores ou lúgubres. É que em breve não terão mais nada a fazer. *Não temos mais dinheiro* para construir monumentos históricos. Precisamos nos justificar.

Os engenheiros pensam nisso e construirão.

No entanto a ARQUITETURA existe. Coisa admirável, a mais bela. O produto dos povos felizes e o que produz povos felizes.

As cidades felizes têm arquitetura.

A arquitetura está no aparelho telefônico e no Parthenon. Como ela poderia estar à vontade nas nossas casas! Nossas casas formam ruas e as ruas formam cidades e mais cidades, é um indivíduo que adquire uma alma, que sente, que sofre, que admira. Como a arquitetura poderia estar bem nas ruas e em toda a cidade!

O diagnóstico é claro.

Os engenheiros fazem arquitetura porque empregam um cálculo saído das leis da natureza e suas obras nos fazem sentir a HARMONIA. Existe então uma estética do engenheiro, pois é preciso, ao calcular, qualificar certos termos da equação, e aí é o gosto que intervém. Ora, quando se maneja o cálculo estamos num estado de espírito puro e, neste estado de espírito, o gosto segue caminhos seguros.

Os arquitetos saídos das escolas, essas estufas onde se fabrica hortências azuis, crisântemos verdes e onde se cultivam orquídeas sujas, entram na cidade com o espírito de um leiteiro que venderia seu leite com vitríolo, com veneno.

Ainda se acredita, aqui e ali, nos arquitetos, como se crê cegamente em todos os médicos. Pois é preciso que as casas não caiam! É necessário, pois, recorrer ao homem da arte! A arte, segundo Larousse, é a aplicação dos conhecimentos para a realização de uma concepção. Ora, hoje são os engenheiros que *conhecem*, que conhecem a maneira de sustentar, de aquecer, de ventilar, de iluminar. Não é verdade?

O diagnóstico é que, para começar pelo começo, o engenheiro que procede por conhecimento mostra o caminho e tem a verdade. É que a arquitetura, que é coisa de emoção plástica, deve, no seu domínio, COMEÇAR PELO COMEÇO TAMBÉM E EMPREGAR OS ELEMENTOS SUSCETÍVEIS DE ATINGIR NOSSOS SENTIDOS, DE SATISFAZER NOSSOS DESEJOS VISUAIS, e dispô-los de tal maneira QUE SUA VISÃO NOS AFETE CLARAMENTE pela delicadeza ou pela brutalidade, pelo tumulto ou pela serenidade, pela indiferença ou pelo interesse; estes elementos são elementos plásticos, formas que nossos olhos vêem claramente, que nosso espírito mede. Essas formas primárias ou sutis, brandas ou toscas, agem fisiologicamente sobre nossos sentidos (esfera, cubo, cilindro, horizontal, vertical, oblíqua etc.) e os comovem. Sendo afetados, somos sucetíveis de perceber além das sensações grosseiras; nascerão então certas relações, que agem sobre nossa consciência e nos conduzem a um estado de júbilo (concordância com as leis do universo que nos dirigem e às quais todos os nossos atos se submetem) em que o homem usa plenamente de seus dons de lembrança, de exame, de raciocínio, de criação.

A arquitetura, hoje, não se lembra mais daquilo que a começa.

Os arquitetos criam estilos ou discutem superabundantemente sobre estrutura; o cliente, o público reage em virtude de hábitos visuais e raciocina à base de uma educação insu-

PISA.

ficiente. Nosso mundo exterior transformou-se admiravelmente no seu aspecto e na sua utilização em conseqüência da máquina. Temos uma nova óptica e uma nova vida social, porém, não adaptamos a casa a isto.

Pode-se então colocar o problema da casa, da rua e da cidade e confrontar o arquiteto com o engenheiro.

Para o *arquiteto,* escrevemos os "Três Lembretes":

O Volume que é o elemento pelo qual nossos sentidos percebem e medem, sendo plenamente afetados.

A Superfície que é o envelope do volume e que pode anular ou ampliar a sua sensação.

A Planta que é a geradora do volume e da superfície e que é aquilo pelo qual tudo é determinado irrevogavelmente.

Depois, ainda para o arquiteto, os "Traçados Reguladores", mostrando assim um dos meios pelos quais a arquitetura atinge essa matemática sensível, que nos dá a benéfica percepção da ordem. Quisemos expor aí fatos que valem mais do que dissertações sobre a alma das pedras. Permanecemos na física da obra, no *conhecimento.*

Pensamos no habitante da casa e na multidão da cidade. Sabemos muito bem que uma grande parte da infelicidade atual da arquitetura é devida ao *cliente,* aquele que encomenda, escolhe, corrige e paga. Para ele, nós escrevemos: "Olhos que vêem".

Conhecemos demais alguns grandes industriais, banqueiros e comerciantes que nos dizem: "Desculpe-me, sou simplesmente um homem de negócios, vivo totalmente estranho às artes, sou um filisteu". Nós protestamos e lhes dissemos: "Todas as suas energias tendem para esse magnífico objetivo que é o de forjar os instrumentos de uma época e que cria sobre o mundo inteiro essa multidão de coisas belíssimas nas quais reina a lei de economia, o cálculo unido à ousadia e à imaginação. Vejam o que os senhores fazem; é, para falar claramente, belo".

Estes mesmos industriais, banqueiros ou comerciantes, vimo-los longe de seus negócios, em suas casas, onde tudo parecia contrariar suas existências, — as paredes muito estreitas, o acúmulo de objetos inúteis e disparatados e um espírito nauseabundo que reinava sobre tantas falsidades em Aubusson, Salão do Outono, estilos de todas as espécies e ninharias ridículas. Pareciam confusos, encolhidos como tigres na jaula; via-se bem que eles eram mais felizes na fábrica ou em seu banco. Nós reclamamos em nome do transatlântico, do avião e do automóvel, a saúde, a lógica, a audácia, a harmonia, a perfeição.

Somos compreendidos. São as verdades acacianas. Não é inútil apressar a limpeza.

Finalmente, é agradável falar ARQUITETURA depois de tantos silos, fábricas, máquinas e arranha-céus. A ARQUITETURA é um fato de arte, um fenômeno de emoção, fora das questões de construção, além delas. A construção É PARA SUSTENTAR; a arquitetura É PARA EMOCIONAR. A emoção arquitetural, existe quando a obra soa em você ao diapasão de um universo cujas leis sofremos, reconhecemos e admiramos. Quando são atingidas certas relações, somos apreendidos pela obra. Arquitetura consiste em "relações", é "pura criação do espírito".

Hoje, a pintura precedeu as outras artes.

Sendo a primeira, atingiu uma unidade de diapasão com a época *. A pintura moderna deixou a parede, a tapeçaria ou o vaso decorativo e fechou-se num quadro, alimentada, cheia de fatos, afastada da figuração que distrai; ela se presta à meditação. A arte não conta mais estórias, ela faz meditar; depois do labor, é bom meditar.

De um lado, uma multidão espera um alojamento decente e esta questão é de uma atualidade violenta.

Por outro lado, o homem de iniciativa, de ação, de pensamento, o CONDUTOR, pede para abrigar sua meditação num espaço sereno e firme, problema indispensável para a saúde das elites.

Senhores pintores e escultores, campeões da arte de hoje, que têm que suportar tantas zombarias e que sofrem tanta indiferença, limpem suas casas, unam seus esforços para que se reconstruam as cidades. Suas obras virão então colocar-se no quadro da época e em toda parte os senhores serão admitidos e compreendidos. Digam enfaticamente que a arquitetura tem necessidade de sua atenção. Tenham em mente o problema da arquitetura.

(*) Queremos falar da evolução capital trazida pelo cubismo e as pesquisas subseqüentes e não sobre a lamentável decadência que há dois anos se apoderou dos pintores abalados pelas más vendas e catequizados por críticos tão pouco instruídos quanto insensíveis (1921).

Três Lembretes aos Senhores Arquitetos
1. O Volume

Nossos olhos são feitos para ver as formas sob a luz.

As formas primárias são as formas belas porque se lêem claramente.

Os arquitetos de hoje não realizam mais as formas simples.

Operando com o cálculo, os engenheiros usam formas geométricas, que satisfazem nossos olhos pela geometria e nosso espírito pela matemática; suas obras estão no caminho da grande arte.

Silo para cereais.

Silo para trigo.

A arquitetura não tem nada a ver com os "estilos".

Os Luís XV, XVI, XIV ou o Gótico, são para a arquitetura o que é uma pena na cabeça de uma mulher; às vezes é bonito, mas nem sempre e nada mais.

A arquitetura tem destinos mais graves; suscetível de sublime, ela toca os instintos mais rudes pela sua objetividade; solicita as faculdades mais elevadas, pela sua própria abstração. A abstração arquitetural tem de particular e de magnífico o fato de que se enraizando no dado bruto, ela o espiritualiza, porque o dado bruto não é mais que a materialização, o símbolo da idéia possível. O dado bruto só é passível de idéias pela ordem que projetamos nele. As emoções suscitadas pela arquitetura emanam de condições físicas inelutáveis, irrefutáveis, hoje esquecidas.

O volume e a superfície são os elementos através dos quais se manifesta a arquitetura. O volume e a superfície são determinados pela planta. É a planta que é a geradora. Pior para aqueles a quem falta imaginação.

Primeiro Lembrete: O Volume

A arquitetura é o jogo sábio, correto e magnífico dos volumes reunidos sob a luz. Nossos olhos são feitos para ver formas sob a luz; as sombras e os claros revelam as formas; os cubos, os cones, as esferas, os cilindros ou as pirâmides são as grandes formas primárias que a luz revela bem; suas imagens não são nítidas e tangíveis, sem ambigüidades. É por isso que são *belas formas, as mais belas formas.* Todo mundo está de acordo com isso, a criança, o selvagem e o metafísico. É a propria condição das artes plásticas.

A arquitetura egípcia, grega ou romana é uma arquitetura de prismas, cubos e cilindros triedros ou esferas: as Pirâmides, o Templo de Luxor, o Parthenon, o Coliseu, a Villa Adriana.

A arquitetura gótica não é, no seu fundamento, à base de esferas, cones e cilindros. Somente a nave exprime uma forma simples, porém de uma geometria complexa de segunda ordem (cruzamento de ogivas). É por isso que uma catedral não é tão bela e que nela buscamos compensações de ordem subjetiva, fora da plástica. Uma catedral nos interessa como a engenhosa solução de um problema difícil, mas cujos dados foram mal colocados porque não procedem das grandes formas primárias. *A catedral não é uma obra plástica; é um drama*: *a luta contra a gravidade, sensação de ordem sentimental.*

Silo e elevadores de trigo no Canadá.

Silo e elevadores de trigo nos Estados Unidos.

CANADIAN
GOVT.
ELEVÁTOR

São arquitetura, as Pirâmides, as Torres da Babilônia, as Portas de Samarcande, o Parthenon, o Coliseu, o Panteão, a Ponte do Gard, Santa Sofia de Constantinopla, as mesquitas de Istambul, a Torre de Pisa, as cúpulas de Brunelleschi e de Michelangelo, a Pont-Royal, os Inválidos.

A Estação Cais d'Orsay, o Grand Palais, não são arquitetura.

Os *arquitetos* deste tempo, perdidos nos "esboços" estéreis de seus planos, nos arabescos, nas pilastras ou nas cumieiras de chumbo, não adquiriram a concepção dos volumes primários. Nunca ninguém lhes ensinou isso na Escola de Belas-Artes.

Sem perseguir uma idéia arquitetural, porém simplesmente guiados pelos efeitos do cálculo (derivados dos princípios que geram nosso universo) e a concepção de UM ÓRGÃO VIÁVEL, *os ENGENHEIROS de hoje empregam elementos primários e, coordenando-os segundo regras, provocando em nós emoções arquiteturais, fazendo ressoar assim a obra humana com a ordem universal.*

Eis aqui silos e fábricas americanas, magníficas PRIMÍCIAS *de novos tempos.* OS ENGENHEIROS AMERICANOS ESMAGAM COM SEUS CÁLCULOS A ARQUITETURA AGONIZANTE.

Três Lembretes aos Senhores Arquitetos
2. A Superfície

Um volume é envolvido por uma superfície, uma superfície que é dividida conforme as diretrizes e as geratrizes do volume, marcando a individualidade desse volume.

Os arquitetos, hoje, têm medo dos constituintes geométricos das superfícies.

Os grandes problemas da construção moderna serão realizados sobre a geometria.

Sujeitos às estritas obrigações de um programa imperativo, os engenheiros empregam as geratrizes e as linhas reveladoras das formas. Criam fatos plásticos límpidos e impressionantes.

BRAMANTE E RAFAEL.

A arquitetura não tem nada a ver com os "estilos".

Os Luís XV, XVI, XIV ou o Gótico, são para a arquitetura o que é uma pena na cabeça de uma mulher; às vezes é bonito, mas nem sempre e nada mais.

Segundo Lembrete: A Superfície

A arquitetura sendo o jogo sábio, correto e magnífico dos volumes reunidos sob a luz, o arquiteto tem por tarefa fazer viver as superfícies que envolvem esses volumes, sem que essas, tornadas parasitas, devorem o volume e o absorvam em seu proveito: triste história dos tempos presentes.

Deixar a um volume o esplendor de sua forma sob a luz mas, por outro lado, consagrar a superfície a tarefas quase sempre utilitárias, é ver-se obrigado a encontrar na divisão imposta da superfície as *linhas reveladoras,* as *geratrizes* da forma. Em outras palavras, uma arquitetura é uma casa, templo ou fábrica. A superfície do templo ou da fábrica é, na maioria dos casos, uma parede furada de portas e de janelas; esses buracos são amiúde destruidores de formas; é preciso torná-los reveladores de formas. Se o essencial da arquitetura está em esferas, cones e cilindros, as geratrizes e as reveladoras dessas formas são baseadas em pura geometria. Porém essa geometria amedronta os arquitetos de hoje. Os arquitetos, hoje, não ousam fazer o palácio Pitti nem a rua de Rivoli; fazem o bulevar Raspail.

Situemos as presentes observações sobre o terreno das necessidades atuais: necessitamos de cidades traçadas com espírito utilitário e cujo volume seja belo (plantas de cidade). Necessitamos de ruas onde a limpeza, a adequação às necessidades da habitação, a aplicação do espírito de série na organização das obras, a grandeza da intenção, a serenidade do conjunto encantam o espírito e proporcionam o charme das coisas nascidas com felicidade.

Modelar a superfície contínua com uma forma primária simples é fazer surgir automaticamente a própria concorrência do volume: contradição de intenção — bulevar Raspail.

Modelar a superfície com volumes complicados e postos em sinfonia é *modular* e permanecer no volume: problema raro — os Inválidos de Mansart.

Problema de época e de estética contemporânea: tudo conduz à reinstauração dos volumes simples: as ruas, as fábricas, os grandes magazines, todos os problemas que se apresentarão amanhã sob uma forma sintética, sob visões de conjunto que nenhuma outra época conheceu jamais. A superfície, fendida pelas necessidades de destinação, deve

ROBERT GAIR COMPANY

seguir as geratrizes reveladoras dessas formas simples. Essas linhas reveladoras são na prática o xadrez ou reticulado — fábricas americanas. Mas essa geometria dá medo!

Sem perseguir uma idéia arquitetural, porém simplesmente guiados pelas necessidades de um programa imperativo, os engenheiros de hoje chegam às geratrizes reveladoras dos volumes; mostram o caminho e criam fatos plásticos, claros e límpidos, dando aos olhos a calma e ao espírito as alegrias da geometria.

Tais são as fábricas, primícias reconfortantes dos novos tempos.

Os engenheiros de hoje estão de acordo com os princípios que Bramante e Rafael já tinham aplicado há muito tempo.

N. B. — Escutemos os conselhos dos engenheiros americanos. Porém temamos os *arquitetos* americanos. Prova:

Três Lembretes aos Senhores Arquitetos
3. A Planta

A planta é a geradora.

Sem planta há desordem, arbitrário.

A planta traz em si a essência da sensação.

Os grandes problemas de amanhã, ditados por necessidades coletivas, colocam de novo a questão da planta.

A vida moderna pede, espera uma nova planta, para a casa e para a cidade.

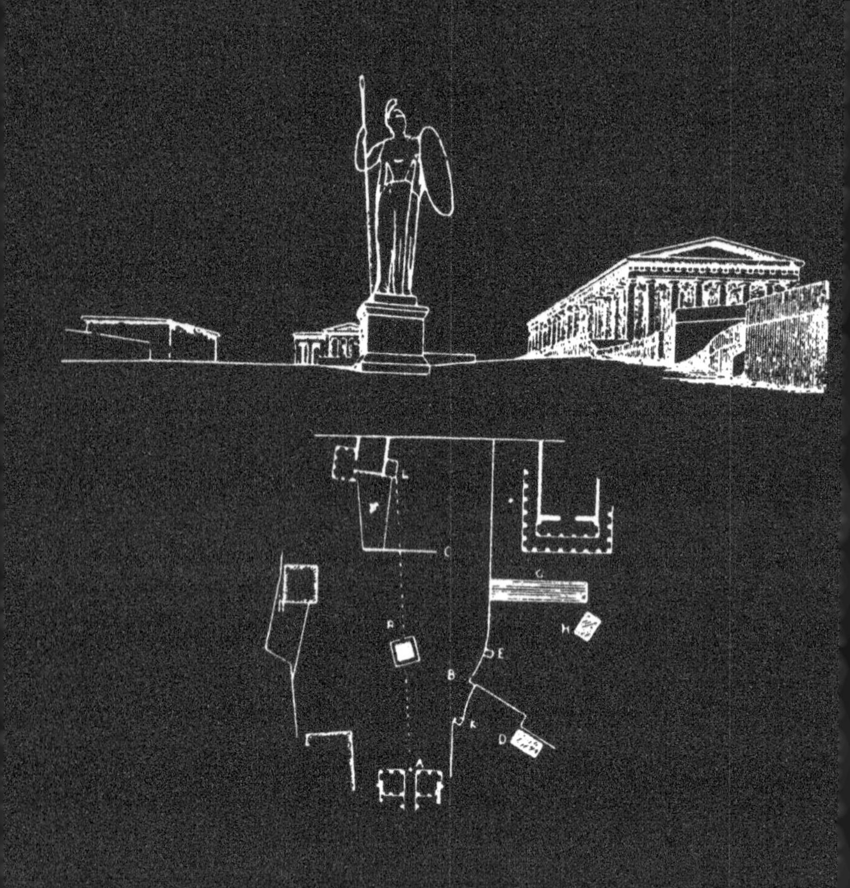

ACRÓPOLE DE ATENAS. Vista sobre o Parthenon, o Erecteion, o Atená-Parteno a partir dos Propileus. Não se deve esquecer que o solo da Acrópole é muito acidentado, com diferenças de níveis consideráveis que foram empregadas para constituir plataformas imponentes para os edifícios. Os ângulos falsos forneceram vistas ricas e de um efeito sutil; as massas assimétricas dos edifícios criam um ritmo intenso. O espetáculo é elástico, nervoso, esmagador de acuidade, dominador.

A arquitetura nada tem a ver com os "estilos".

Ela solicita as faculdades mais elevadas, pela sua própria abstração. A abstração arquitetural tem de particular e de magnífico o fato de que, se enraizando no dado bruto, o espiritualiza. O dado bruto só é passível de idéia pela ordem que projetamos nele.

O volume e a superfície são os elementos através dos quais se manifesta a arquitetura. O volume e a superfície são determinados pela planta. A planta é a geradora. Pior para aqueles a quem falta imaginação!

Terceiro Lembrete: A Planta

A planta é a geradora.

O olho do espectador se move em um espaço feito de ruas e de casas. Recebe o choque dos volumes que se elevam à volta. Se esses volumes são formais e não-degradados por alterações intempestivas, se a ordenação que os agrupa exprime um ritmo claro, e não uma aglomeração incoerente, se as relações entre os volumes e o espaço são feitas de proporções justas, o olho transmite ao cérebro sensações coordenadas e o espírito retira delas satisfações de ordem superior: isso é arquitetura.

O olho observa, na sala, as superfícies múltiplas das paredes e das abóbadas; as cúpulas determinam espaços; as abóbadas desenvolvem superfícies; os pilares, as paredes se ajustam segundo razões compreensíveis. Toda a estrutura se eleva da base e se desenvolve conforme uma regra que está escrita sobre o solo na planta: formas belas, variedade de formas, unidade do princípio geométrico. Transmissão profunda de harmonia: isso é a arquitetura.

A planta está na base. Sem planta, não há nem grandeza de intenção e de expressão, nem ritmo, nem volume, nem coerência. Sem planta há essa sensação insuportável ao homem, de informe, de indigência, de desordem, de arbitrário.

A planta necessita a mais ativa imaginação. Necessita também a mais severa disciplina. A planta é a determinação do todo; é o momento decisivo. Uma planta não é tão bela para desenhar quanto o rosto de uma madona; é uma austera abstração; não passa de uma algebrização árida ao olhar De qualquer modo, o trabalho do matemático permanece uma das mais altas atividades do espírito humano.

A ordenação é um ritmo apreensível que reage sobre todo ser humano da mesma maneira.

A planta traz consigo um ritmo primário determinado: a obra se desenvolve em extensão e em altura segundo suas prescrições com conseqüências que se estendem do mais

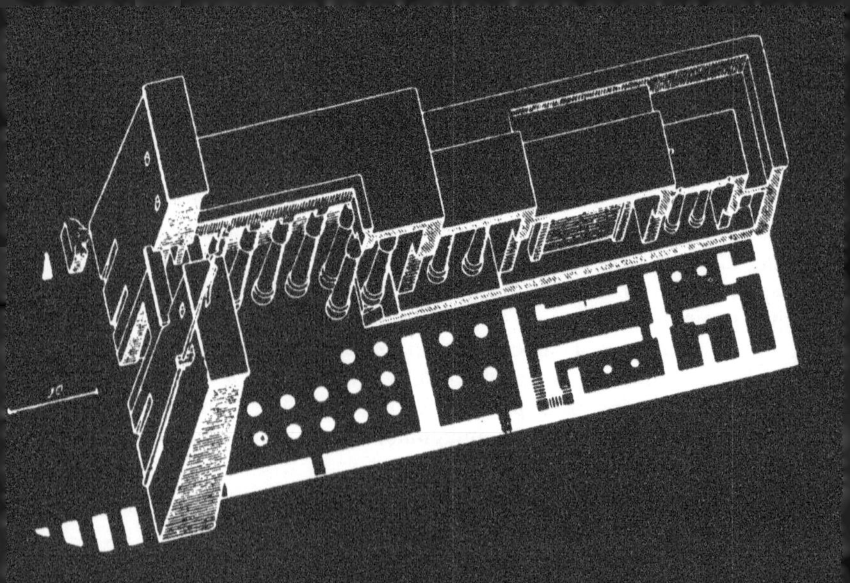

TIPO DO TEMPLO HINDU. As torres criam uma cadência no espaço.

SANTA SOFIA DE CONSTANTINOPLA. A planta age em toda a estrutura: suas leis geométricas e suas combinações modulares se desenvolvem em todas as partes.

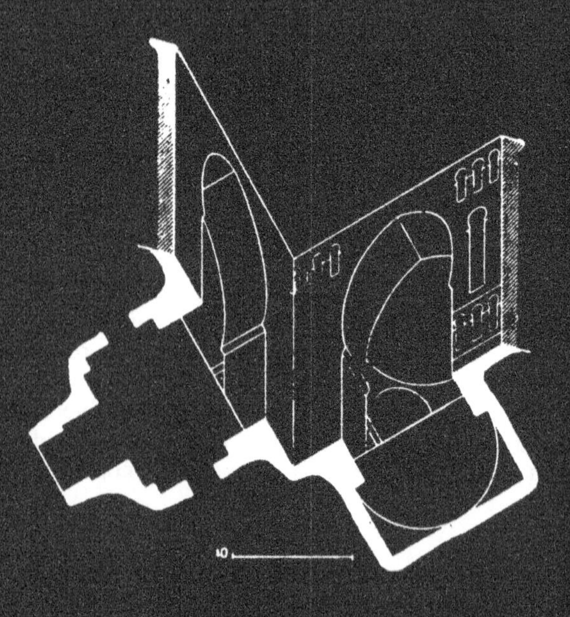

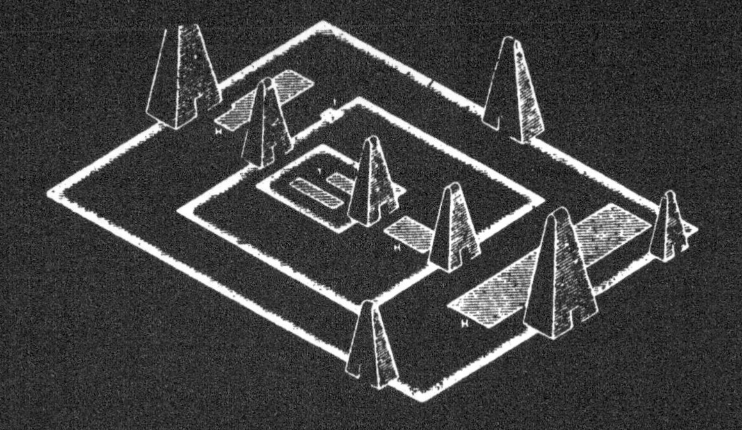

TEMPLO DE TEBAS. A planta se organiza conforme o eixo de chegada: alameda das esfinges, pilastras, pátio com peristilo, santuário.

PALÁCIO DE AMAN

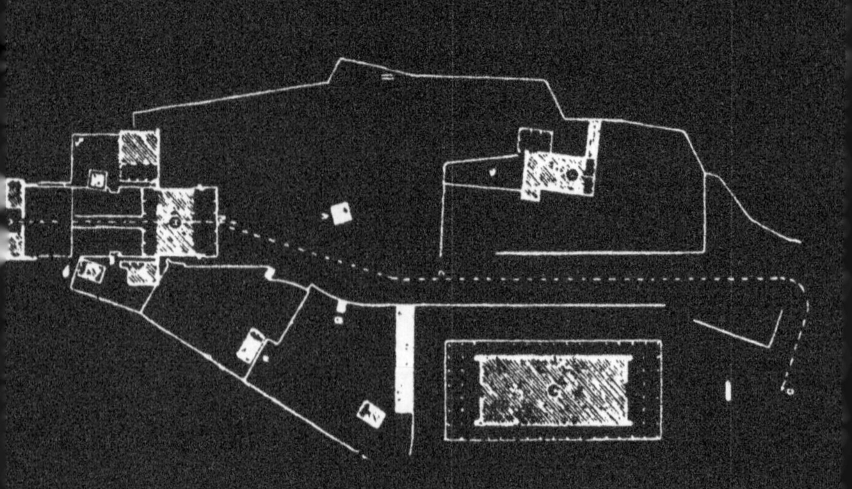

ACRÓPOLE DE ATENAS. A desordem aparente da planta só engana o profano. O equilíbrio não é mesquinho. É determinado pela paisagem famosa que se estende do Pireu ao Monte Pentélico. O conjunto é concebido para ser visto de longe: os eixos seguem o vale e os ângulos falsos são habilidades do grande cenarista. A Acrópole sobre seu rochedo e seus muros de sustentação é vista de longe, como um bloco. Seus edifícios se concentram na incidência de seus planos múltiplos.

TONY GARNIER. Passagens entre as diversas casas de um bairro.

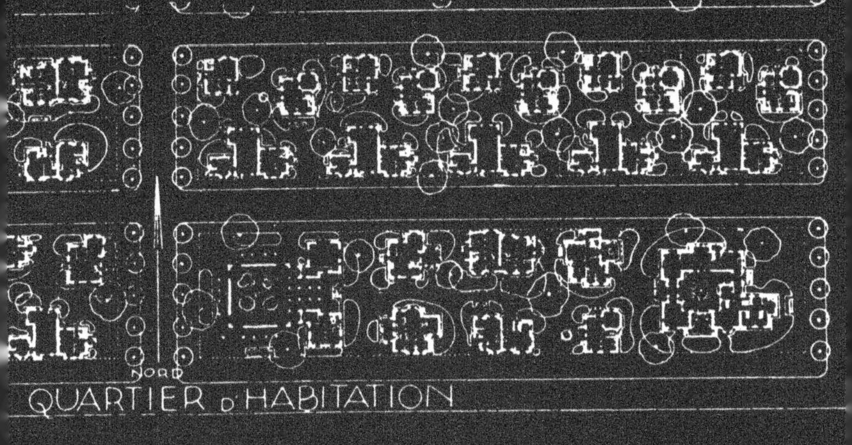

TONY GARNIER. Bairro extraído da **Cidade Industrial.** Em seu estudo considerável sobre uma Cidade Industrial, Tony Garnier supôs já realizados certos progressos de ordem social, de onde resultariam meios de **extensão normal** das cidades: a sociedade teria daí em diante a livre disposição do solo. Uma casa para cada família; o terreno é ocupado na metade pelas construções, a outra metade pertence ao domínio público, e está plantada de árvores; não há cercas. Doravante a travessia da cidade é permitida em qualquer sentido, independentemente das ruas que o pedestre não tem mais necessidade de seguir. E o solo da cidade é como um grande parque. (Pode-se fazer uma censura a Garnier. É a de ter esses bairros com uma densidade tão fraca, no coração da cidade.)

TONY GARNIER. Rua de um bairro.

simples ao mais complexo conforme a mesma lei. A unidade da lei é a lei da boa planta: lei simples infinitamente modulável.

O ritmo é um estado de equilíbrio procedente de simetrias simples ou complexas ou procedente de sábias compensações. O ritmo é uma equação: igualação (simetria, repetição) *(templos egípcios, hindus)*; compensação (movimento dos contrários) (*Acrópole de Atenas*); modulação (desenvolvimento de uma invenção plástica inicial) (*Santa Sofia*). Outras tantas reações profundamente diferentes sobre o indivíduo, malgrado a unidade de objetivo que é o ritmo, que é um estado de equilíbrio. Daí, a diversidade tão surpreendente das grandes épocas, diversidade que está no princípio arquitetural e não nas modalidades ornamentais.

A planta traz consigo a propria essência da sensação.

Mas perdemos o sentido da planta há cem anos. Os grandes problemas do amanhã, ditados por necessidades coletivas, estabelecidos sobre estatísticas e realizados pelo cálculo, põem de novo a questão da planta. Quando tivermos compreendido a indispensável grandeza de vistas que é preciso conferir ao traçado das cidades, entraremos num período que nenhuma época conheceu. As cidades deverão ser concebidas e traçadas na sua extensão como foram traçados os templos do Oriente e como foram ordenados os Inválidos ou o Versailles de Luís XIV.

A tecnicidade desta época — técnica da finança e técnica da construção — está preparada para realizar esta tarefa.

Tony Garnier, apoiado por Herriot em Lyon, traçou a *Cidade Industrial.* É uma tentativa de ordenação e uma conjugação de soluções utilitárias e de soluções plásticas. Uma regra unitária distribui em todos os bairros da cidade a mesma escolha de volumes essenciais e fixa os espaços conforme necessidades de ordem prática e as injunções de um sentido poético próprio ao arquiteto. Reservando todo juízo sobre a coordenação das zonas dessa *Cidade Industrial,* experimentamos as conseqüências benfazejas da ordem. Onde reina a ordem, nasce o bem-estar. Pela feliz criação de um sistema de loteamento, os bairros residenciais, mesmo operários, assumem uma alta significação arquitetural. Tal é a conseqüência de uma planta.

No atual estado de espera (porque o urbanismo moderno ainda não nasceu) os mais belos bairros de nossas cidades deveriam ser os bairros de fábricas onde as causas de grandeza, de estilo, — a geometria, — resultam do próprio problema. A planta falhou, tem falhado até aqui. A admirável ordem, que certamente reina no interior dos armazens e das oficinas, ditou a estrutura das máquinas e dirige seus movimentos, condiciona cada gesto das equipes; mas a sujeira infecta os arredores e a incoerência imperava quando o fio de prumo e o esquadro fixaram a implantação dos edifícios, tornando sua ampliação caduca, custosa e perigosa.

Uma planta teria bastado. Uma planta bastará. Os excessos do mal conduzirão a ela.

Um dia Auguste Perret criou essa palavra: as "Cidades-Torres". Epíteto brilhante que sacudiu o poeta que há em nós. Palavra que soava no bom momento porque o fato é iminente! Sem sabermos, a "grande cidade" incuba uma planta. Essa planta pode ser gigantesca pois a grande cidade é uma maré ascendente. Está na hora de repudiar o atual traçado de nossas cidades pelo qual se acumulam os edifícios empilhados, se enlaçam as ruas estreitas cheias de barulho, de fedor de gasolina e de poeira e onde os andares têm suas janelas plenamente abertas sobre essas sujeiras. As grandes cidades se tornaram demasiado densas para a segurança dos habitantes e no entanto não são suficientemente densas para responder ao fenomeno inédito dos "negócios".

Partindo do acontecimento construtivo capital que é o arranha-céu americano, bastaria reunir em alguns raros pontos essa forte densidade de população e de elevar lá, em 60 andares, construções imensas. O cimento armado e o aço permitem essas audácias e sobretudo se prestam a um certo desenvolvimento das fachadas graças ao qual todas as janelas se voltarão de cheio para o céu; assim, doravante, os pátios serão suprimidos. A partir do décimo-quarto andar, é a calma absoluta, é o ar puro.

Nessas torres que abrigarão o trabalho até então asfixiado em bairros compactos e em ruas congestionadas, todos os serviços, de acordo com a feliz experiência americana, serão reunidos, proporcionando a eficácia, a economia de tempo e de esforços e com isso uma calma indispensável. Essas torres, elevadas à grande distância uma das outras, dão em altura o que até então se estendia em superfície; deixam vastos espaços que empurram para longe delas as ruas cheias de ruído e de uma circulação mais rápida. Ao pé das torres se desenrolam os parques; o verde se estende por toda a cidade. As torres se alinham em avenidas imponentes; é verdadeiramente a arquitetura digna deste tempo.

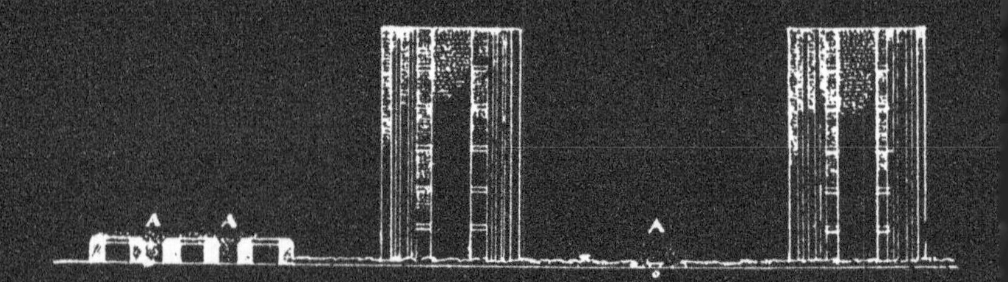

AS CIDADES-TORRES. Este corte mostra de um lado a poeira, os fedores e o ruído asfixiando as cidades atuais. As torres, por outro lado, estão afastadas, no ar salubre, entre o verde. Toda a cidade é coberta de verde.

L. C. 1920. AS CIDADES-TORRES. Proposição de Loteamento. Sessenta andares, altura, 220 metros; distâncias entre as torres 250 a 300 metros (equivalente à largura do Jardin des Tuilleries). Largura das torres, 150 a 200 metros. Malgrado a grande superfície dos parques, a densidade normal das cidades é aumentada de 5 a 10 vezes. Parece que tais construções devem ser consagradas exclusivamente aos negócios (escritórios) e em conseqüência construídas no centro das grandes cidades das quais descongestionariam as artérias; a vida de família se adaptaria mal ao mecanismo prodigioso dos ascensores. As cifras são espantosas e sem piedade, magníficas: concedendo a cada empregado uma superfície de 10m², um arranha-céu de 200m de largura abrigaria 40 000 pessoas. Haussmann, em vez de praticar cortes estreitos em Paris, deveria ter demolido bairros inteiros, concentrando-os em altura; depois, deveria ter plantado parques mais bonitos do que os do Grande Rei.

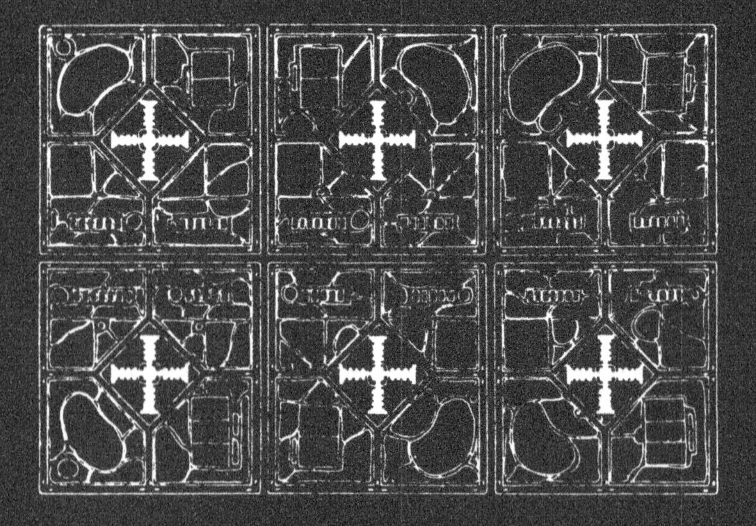

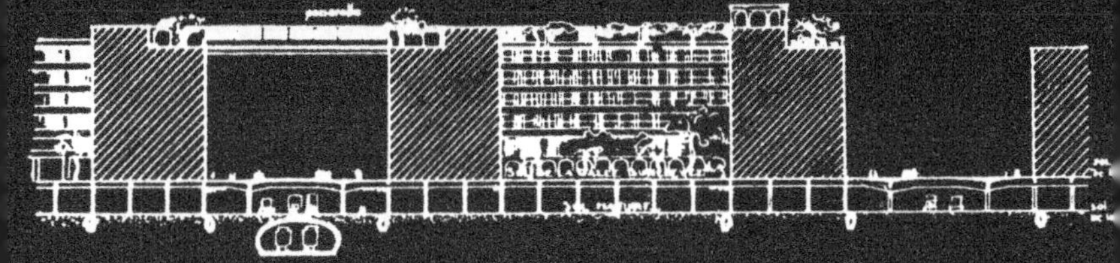

L.C. 1915. AS CIDADES-PILOTIS. O solo da cidade é elevado de 4 a 5 metros sobre os pilotis que servem de fundação para as casas. O solo da cidade é de algum modo uma plataforma, as ruas e seus passeios são espécies de pontes. Sob essa plataforma, acessíveis diretamente, todos os órgãos até então enterrados no solo e inacessíveis, água, gás, eletricidade, telefone, pneumático, esgotos, calefação por bairros, etc. *

(*) **Intransigeant,** 25 novembro 1924: O bulevar Haussmann prolongado. E não há somente o metrô e a dupla fileira de pesados edifícios, há essas galerias à moda inglesa que se vai cavar sob cada passeio para nelas alojar as canalizações de toda espécie. Elas serão bastante largas e altas para que os empregados da eletricidade, do ar comprimido, dos correios etc., circulem à vontade, e as que receberão as tubulações de gás de iluminação serão cobertas de lajes móveis, de sorte que a menor pane, escapamento ou ruptura da rede vascular ou nervosa deste bairro privilegiado não provocará necessariamente essas laparotomias gigantescas em cuja ocasião a metade de uma calçada é atravancada durante oito dias nas entranhas do seu passeio. J.L.

L.C. 1920. AS CIDADES-TORRES. As torres estão no meio dos jardins e das praças de esportes, tênis, futebol. As grandes artérias, com seu autódromo elevado. distribuem a circulação lenta, rápida, extra-rápida.

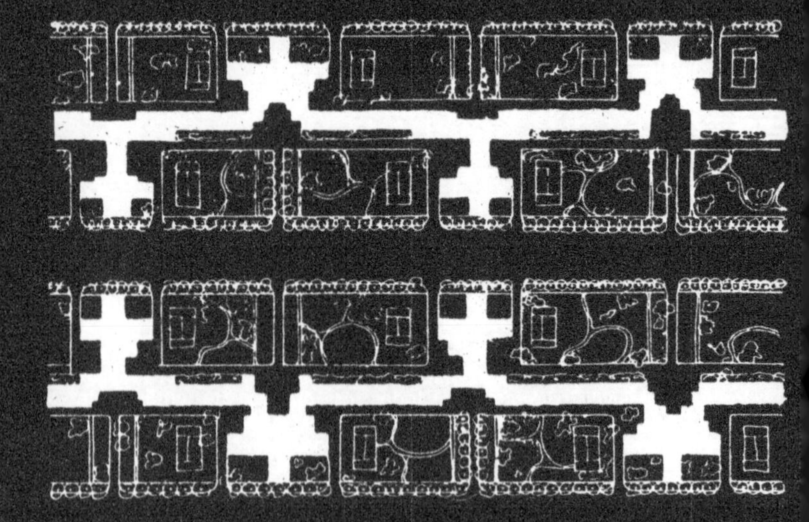

L.C. 1920. AS RUAS DENTEADAS.

L.C. 1920. AS RUAS DENTEADAS. Vastos espaços arejados e ensolarados sobre os quais abrem os apartamentos. Jardins e praças de jogos ao pé das casas. Fachadas lisas com imensas paredes de vidro. O jogo de sombras é feito pelas saliências sucessivas da planta. A riqueza é fornecida pela amplidão dos traçados e pelo jogo das vegetações sobre o cenário geométrico das fachadas. É evidente que se trata aqui, como para as cidades-torres, de empresas com sólidas bases financeiras comportando a construção de bairros inteiros. Já antes da guerra existiram consórcios semelhantes em pequena escala. Um único arquiteto traçará toda uma rua: unidade, grandeza, dignidade, economia.

Auguste Perret enunciou o princípio da Cidade-Torre; não a desenhou *. Em compensação deu uma entrevista a um reporter de *l'Intransigeant* e se deixou levar a estender sua concepção além dos limites razoáveis. Cobriu assim uma idéia sã com um véu de futurismo perigoso. O reporter notou que pontes imensas ligam cada torre uma à outra, por quê? Já que as artérias de circulação se encontram bem longe das casas e que a população que se comprazeria nos parques, sob as plantações quadrangulares, entre os gramados e os locais de jogos, não pensaria em passear sobre as passarelas prodigiosas sem ter nada para aí fazer. O reporter quis igualmente que essa cidade fosse fundada sobre inumeráveis pilotis de concreto armado que elevariam a 20 metros de altura (seis andares, por favor) o solo das ruas e ligariam as torres umas às outras. Esses pilotis teriam deixado sob a cidade um espaço imenso no qual seriam colocados mais que à vontade as tubulações de água, de gás e os esgotos, vísceras da cidade. A planta não tinha sido traçada e a idéia não podia se sustentar sem a planta.

Essa concepção dos pilotis, eu a tinha exposto há muito tempo a Auguste Perret e era uma concepção de uma ordem muito menos magnífica; porém podia responder a uma necessidade verdadeira. Ela se aplicava à cidade comum, tal como a Paris de hoje. Em lugar de estabelecer as fundações escavando e construindo espessos muros de fundações, em lugar de cavar e recavar eternamente as calçadas para instalar nelas (trabalho de Sísifo) as tubulações de água e de gás, os esgotos e os metrôs, e repará-los sem fim, teríamos decidido que os novos bairros seriam construídos no nível do solo com as fundações substituídas por um número lógico de pilares de concreto; estes suportariam os pavimentos térreos dos edifícios e, em forma de sacadas, os pisos dos passeios e das calçadas.

Sob esse espaço ganho, de uma altura de 4 a 6 metros, circulariam os caminhões pesados, os metrôs substituindo os bondes atravancadores etc., servindo diretamente aos subsolos dos edifícios. Uma rede inteira de circulação, independente daquela destinada aos pedestres e aos veículos rápidos, teria sido ganha, tendo sua geografia própria, independente do atravancamento das casas: floresta ordenada de pilares por onde a cidade faria a troca de suas mercadorias, seu abastecimento, todas as tarefas longas e pesadas que hoje congestionam a circulação.

(*) Traçando esses croquis em 1920, eu tinha pensado transcrever as idéias de Auguste Perret. Porém, a publicação de seus próprios desenhos em *l'Illustration* de agosto de 1922 revelou uma concepção diferente.

L.C. E PIERRE JEANNERET. Jardim sobre o terraço de cobertura de uma mansão em Auteil.

Os cafés, os lugares de repouso etc., não seriam mais esse mofo que corrói os passeios: seriam transferidos para os terraços dos telhados assim como o comércio de luxo (porque, não é verdadeiramente ilógico que uma superfície inteira da cidade não seja empregada e fique reservada ao diálogo das ardósias com as estrelas?). Curtas passarelas por cima das ruas normais estabeleceriam a circulação desses novos bairros recuperados, consagrados ao repouso entre as plantações de flores e de verde.

Esta concepção não significava nada menos que triplicar a superfície de circulação da cidade; era realizável, *correspondia a uma necessidade, custava menos caro, era mais sadia que os hábitos insensatos atuais*. Ela era sadia dentro do velho quadro de nossas cidades, como será sadia a concepção das cidades-torres nas cidades de amanhã.

Eis aqui ainda um traçado de ruas que provoca uma renovação completa dos modos de loteamento e que precederá uma reforma radical da casa de aluguel; essa reforma iminente motivada pela transformação da atividade doméstica reclama novas plantas para os alojamentos, e uma organização inteiramente nova dos serviços respondendo à vida na cidade grande. Aqui também a planta é a geradora; sem ela reinam a indigência, a desordem, o arbitrário *.

Em lugar de traçar as cidades em forma de quadrangulares maciços com a estreita vala das ruas guarnecidas pelos sete andares de edifícios a pique sobre a calçada e enquadrando pátios infectos, sentinas sem ar e sem sol, traçaríamos, ocupando as mesmas superfícies, e com a mesma densidade de população, blocos maciços sucessivos de casas denteadas, serpenteando ao longo de avenidas axiais. Nada de pátios, porém apartamentos abrindo-se de todos os lados ao ar e à luz, e dando, não sobre as débeis árvores dos atuais bulevares, mas sobre gramados, terrenos de jogos e abundantes plantações.

As proas salientes desses blocos pontuariam regularmente as longas avenidas. As formas denteadas provocariam o jogo de sombras favoráveis à expressão arquitetural.

A construção de concreto armado determinou uma revolução na estética da construção. Pela supressão do teto e sua substituição pelos terraços, o concreto armado conduz a uma nova estética da planta, desconhecida até aqui.

(*) Ver adiante: "Casas em série".

As formas denteadas e os recuos são possíveis e provocam doravante o jogo das penumbras e da sombra, não mais de alto para baixo, porém lateralmente da esquerda para a direita.

É uma modificação capital na estética da planta; ainda não a sentiram; seria útil pensar nisso agora nos projetos de extensão das cidades *.

Estamos em um período de construção e de readaptação à novas condições sociais e econômicas. Dobramos um cabo e os novos horizontes não reencontrarão a grande linha das tradições a não ser quando houver uma revisão completa dos meios em curso, com a determinação de novas bases construtivas e estabelecidas sobre a lógica.

Em arquitetura as antigas bases construtivas morreram. Somente reencontraremos as verdades da arquitetura quando novas bases tiverem constituído o suporte lógico de toda manifestação arquitetural. Anuncia-se que vai se levar vinte anos para em criar essas bases. Período de grande problemas, período de análise, de experimentação, período também de grandes mudanças estéticas, período de elaboração de uma nova estética.

É preciso estudar a *planta,* chave desta evolução.

(+) Essa questão será estudada no livro em preparação: *Urbanismo.* (Aparecido em 1925.)

Os Traçados Reguladores

Do nascimento fatal da arquitetura.

A obrigação da ordem. O traçado regulador é uma garantia contra o arbitrário. Proporciona a satisfação do espírito.

O traçado regulador é um meio; não é uma receita. Sua escolha e suas modalidades de expressão fazem parte integrante da criação arquitetural.

PORTA SAINT-DENIS (Blondel)

O homem primitivo parou sua carreta; decide que aqui será seu chão. Escolhe uma clareira, derruba as árvores mais próximas, aplana o terreno em torno; abre o caminho que o ligará ao rio ou àqueles de sua tribo que ele acabou de deixar; enterra os piquetes que sustentarão sua tenda. Esta é cercada com uma paliçada na qual ele abre uma porta. O caminho é tão retilíneo quanto lhe permitem seus instrumentos, seus braços e seu tempo. Os piquetes de sua tenda descrevem um quadrado, um hexágono ou um octógono. A paliçada forma um retângulo cujos quatro ângulos são iguais, são retos. A porta da cabana abre-se no eixo do cercado e a porta do cercado faz face à porta da cabana.

Os homens da tribo decidiram abrigar seu deus: Eles o dispõem em um lugar de um espaço corretamente preparado; colocam-no ao abrigo sob uma cabana sólida e enterram os piquetes da cabana, em quadrado, em hexágono, em octógono. Protegem a cabana com uma paliçada sólida e enterram os piquetes onde virão se prender as cordas dos altos postes do cercado. Eles determinam o espaço que sera reservado aos sacerdotes e instalam o altar e os vasos do sacrifício. Abrem um portão na paliçada e o colocam no eixo da porta do santuário.

Vejam no livro do arqueólogo, o gráfico desta cabana, o gráfico deste santuário: é a planta de uma casa, é a planta de um templo. É o mesmo espírito que reencontramos na casa de Pompéia. É o próprio espírito do Templo de Luxor.

Não há homem primitivo; há meios primitivos. Potencialmente, a idéia é constante desde o começo.

Notem que essas plantas são regidas por uma matemática primária. Há medidas. Para construir bem, para bem repartir os esforços, para a solidez e a utilidade da obra, as *medidas* condicionam o todo. O construtor tomou como medida o que lhe era mais fácil, o mais constante, o instrumento que podia perder menos: seu passo, seu pé, seu cotovelo, seu dedo.

Para construir bem e para repartir seus esforços, para a solidez e a utilidade da obra, ele tomou medidas, admitiu um módulo, *regulou seu trabalho,* introduziu a ordem. Porque, em torno dele, a floresta está em desordem com suas lianas, seus espinhos, seus troncos que o atrapalham e paralisam seus esforços.

Medindo, ele estabeleceu a ordem. Para medir, tomou seu passo, seu pé, seu cotovelo ou seu dedo. Impondo a ordem com seu pé ou com seu braço, criou um módulo que regula toda a obra; e esta obra está em sua escala, em sua conveniência, em seu bem-estar, *em sua medida*. Está na *escala humana*. Ele se harmoniza com ela; isso é o principal.

Mas ao decidir da forma do cercado, da forma da cabana, da situação do altar e de seus acessórios, ele seguiu por instinto os ângulos retos, os eixos, o quadrado, o círculo. Porque ele não podia criar alguma coisa de outro modo, que lhe desse a impressão que criava. Porque os eixos, os círculos, os ângulos retos, são as verdades da geometria e são efeitos que nosso olho mede e reconhece; enquanto que, de um outro modo, seria acaso, anomalia, arbitrário. A geometria é a linguagem do homem.

Mas ao determinar as distâncias respectivas dos objetos, ele inventou ritmos, ritmos sensíveis ao olho, nítidos nas suas relações. E esses ritmos estão no nascimento de comportamentos humanos. Ressoam no homem por uma fatalidade orgânica, a mesma fatalidade que faz com que as crianças, os velhos, os selvagens, os letrados tracem a secção áurea.

Um módulo mede e unifica; um traçado regulador constrói e satisfaz.

A maioria dos arquitetos não teria esquecido hoje que a grande arquitetura está nas próprias origens da humanidade e que é função direta dos instintos humanos?

Quando vemos as casinhas dos subúrbios de Paris, as casas das dunas da Normandia, os bulevares modernos e as exposições internacionais, por acaso não temos a certeza de que os arquitetos são seres desumanos, alheios à ordem, afastados do nosso ser, e que trabalham talvez para um outro planeta?

É que lhes ensinaram um ofício bizarro que consiste em fazer realizar pelos outros — pedreiros, carpinteiros ou marceneiros — milagres de perseverança, de cuidado e de habilidade para elevar e sustentar elementos (tetos, paredes, janelas, portas etc.) que não têm mais nada de comum entre si e que verdadeiramente não têm por objetivo, por resultado, ser úteis para alguma coisa.

Atualmente, há unanimidade em considerar como prosadores perigosos, vadios, incapazes, obtusos e ansiosos, os poucos que, tendo compreendido a lição do homem primitivo na sua clareira, pretendem que existem traçados reguladores: "Com seus traçados reguladores, vocês matarão a imaginação, e entronizarão a receita".

— Mas todas as épocas precedentes empregaram esse instrumento necessário.

— Não é verdade, você que inventa, porque você é um maníaco cerebral!

— Mas o passado nos legou provas, documentos iconográficos, estelas, lajes, pedras gravadas, pergaminhos, manuscritos, impressos...

A arquitetura é a primeira manifestação do homem criando seu universo, criando-o à imagem da natureza, aceitando as leis da natureza, as leis que regem nossa natureza, nosso universo. As leis de gravidade, de estática, de dinâmica se impõem pela redução ao absurdo: ficar de pé ou desmoronar-se.

Um determinismo soberano ilumina diante de nossos olhos as criações naturais e nos dá a segurança de uma coisa equilibrada e razoavelmente feita, de uma coisa infinitamente modulada, evolutiva, variada e unitária.

As leis físicas primordiais são simples e pouco numerosas. As leis morais são simples e pouco numerosas.

O homem de hoje alisa até à perfeição uma tábua com uma plaina mecânica em alguns segundos. O homem de ontem alisava uma tábua bastante bem com uma plaina. O homem muito primitivo aplainava com muita dificuldade uma tábua com um sílex ou uma faca. O homem muito primitivo

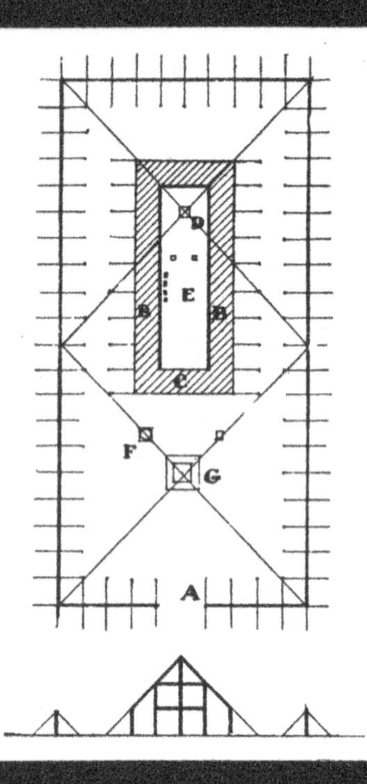

TEMPLO PRIMITIVO

A, entrada;

B, pórtico;

C, peristilo;

D, santuário;

E, instrumentos do culto;

F, vaso de libações;

G, altar.

CORTE

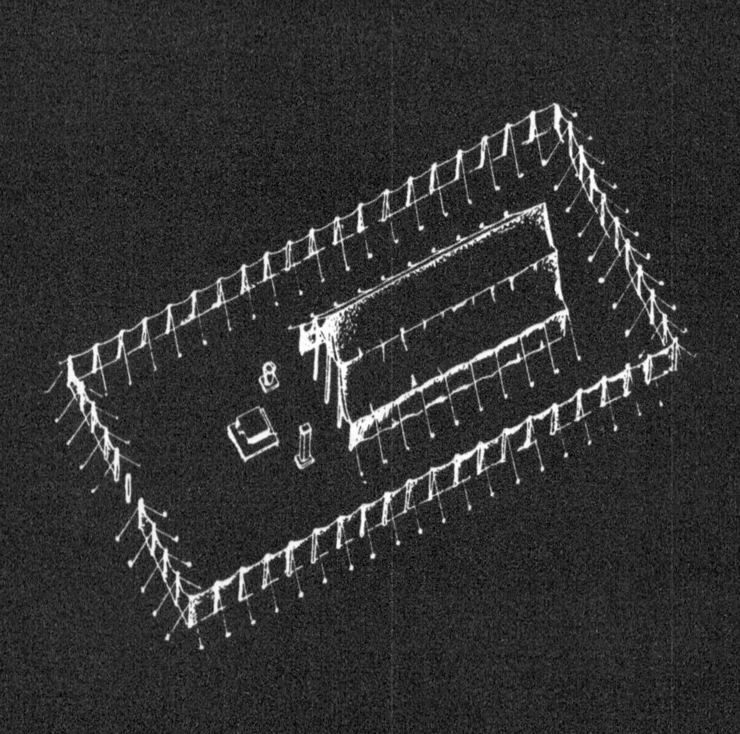

empregava um módulo e os traçados reguladores para facilitar sua tarefa. O grego, o egípcio, Michelangelo ou Blondel empregavam os traçados reguladores para a correção de suas obras e a satisfação de seu sentido artístico e de seu pensamento matemático. O homem de hoje não emprega nada e faz bulevar Raspail. Mas ele proclama que é um poeta libertado e que seus instintos bastam; porém estes não se exprimem mais que por meio de artifícios adquiridos nas escolas. Um lírico impetuoso com uma canga no pescoço, alguém que sabe coisas, porém coisas que não inventou nem mesmo controlou, que perdeu ao longo dos ensinamentos recebidos essa cândida e capital energia da criança questionando infatigavelmente: "por quê?".

Um traçado regulador é uma garantia contra o arbitrário: é a operação de verificação que aprova todo trabalho criado no ardor, a prova dos nove do escolar, o C.Q.D. do matemático.

O traçado regulador é uma satisfação de ordem espiritual que conduz à busca de relações engenhosas e de relações harmoniosas. Ele confere à obra a euritmia.

O traçado regulador traz essa matemática sensível que dá a agradável percepção da ordem. A escolha de um traçado regulador fixa a geometria fundamental da obra; ele determina então uma das impressões fundamentais. A escolha de um traçado regulador é um dos momentos decisivos da inspiração, é uma das operações capitais da arquitetura.

Eis aqui traçados reguladores que serviram para fazer belíssimas coisas e que são a causa da beleza dessas coisas.

CÓPIA DE UMA LAJE DE MÁRMORE DO PIREU:

A fachada do Arsenal do Pireu é determinada por algumas divisões simples que tornam proporcional a base à altura, que determinam a localização da porta e sua dimensão em relação íntima com a própria proporção da fachada.

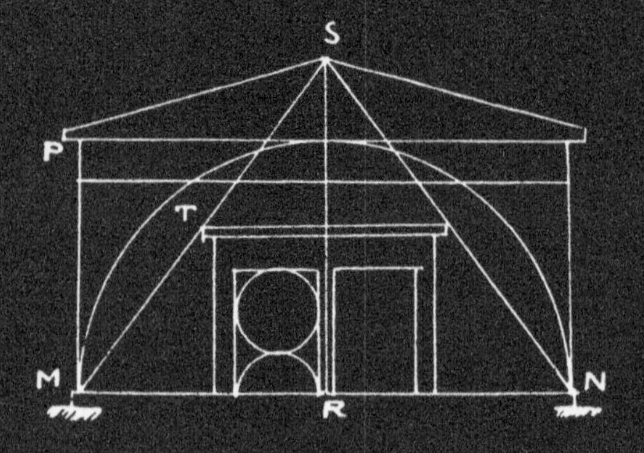

Fachada do Arsenal do Pireu.

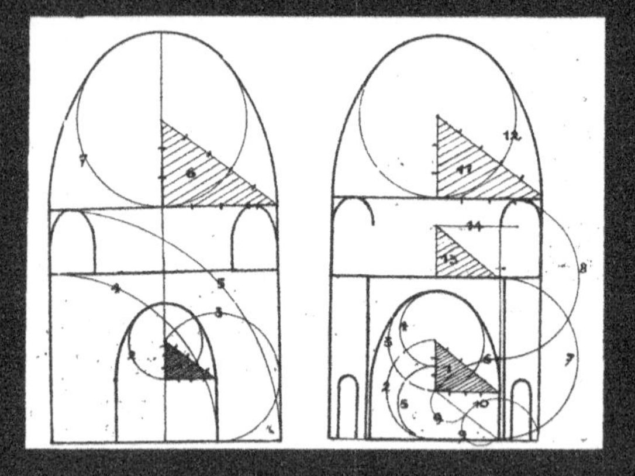

Traçado das cúpulas aquemênidas.

Notre-Dame de Paris.

EXTRAÍDO DE UM LIVRO DE DIEULAFOY:

As grandes cúpulas aquemênidas são uma das mais sutis conclusões da geometria. Uma vez estabelecida a concepção da cúpula sobre as necessidades líricas desta raça e desta época, sobre os dados estáticos dos princípios construtivos aplicados, o traçado regulador vem retificar, corrigir, aperfeiçoar, harmonizar todas as partes com o mesmo princípio unitário do triângulo 3, 4, 5 que desenvolve seus efeitos desde o pórtico até ao cume da abóbada.

MEDIDO SOBRE N. D. DE PARIS:

A superfície determinante da catedral é regulada sobre o quadrado e o círculo *.

TRAÇADO SOBRE UMA FOTOGRAFIA DO CAPITÓLIO:

O lugar do ângulo reto veio precisar as intenções de Michelangelo, fazendo reinar o mesmo princípio que fixa as grandes divisões dos pavilhões e do corpo principal sobre o detalhe dos pavilhões, a inclinação das escadarias, a situação das janelas, a altura das fundações etc.

A obra concebida no local e cuja massa envolvente foi associada ao volume e ao espaço em derredor, se contrai sobre si mesma, se concentra, se unifica, exprime em todo seu conjunto a mesma lei, torna-se maciça.

EXTRAÍDO DOS PRÓPRIOS COMENTÁRIOS DE BLONDEL SOBRE SUA PORTA SAINT-DENIS (Ver no começo do capítulo):

A massa principal é fixada, a abertura da porta é esboçada. Um traçado regulador imperativo, sobre o módulo

(*) Prestar atenção, no que concerne à Notre-Dame e à Porta Saint-Denis, às modificações do nível do solo feitas posteriormente pelos edis.

O Capitólio em Roma.

de 3, divide o conjunto da porta, divide as partes da obra em altura e em largura, regula tudo sobre a unidade do mesmo número.

O PETIT TRIANON:

Lugar do ângulo reto.

CONSTRUÇÃO DE UMA CASA (1916):

O bloco geral das fachadas, tanto anterior quanto posterior, está regulado sobre o mesmo ângulo (A) que determina uma diagonal da qual as múltiplas paralelas e suas perpendiculares fornecerão as medidas corretivas dos elementos secundários, portas, janelas, painéis retangulares etc. até nos mínimos detalhes.

Essa casa de pequenas dimensões aparece no meio das outras construções edificadas sem regra, como mais monumental, de uma outra ordem *.

(*) Peço desculpas por citar aqui exemplos meus: porém, malgrado minhas investigações, ainda não tive o prazer de encontrar arquitetos contemporâneos que se tenham ocupado dessa questão; a esse respeito não fiz mais que provocar o espanto, ou encontrar oposição e ceticismo.

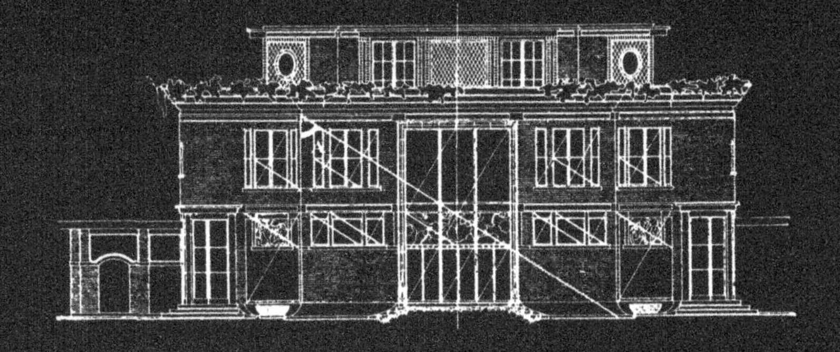

L.C. 1916. Casa. Fachada.

L.C. 1916. Casa. Fachada posterior.

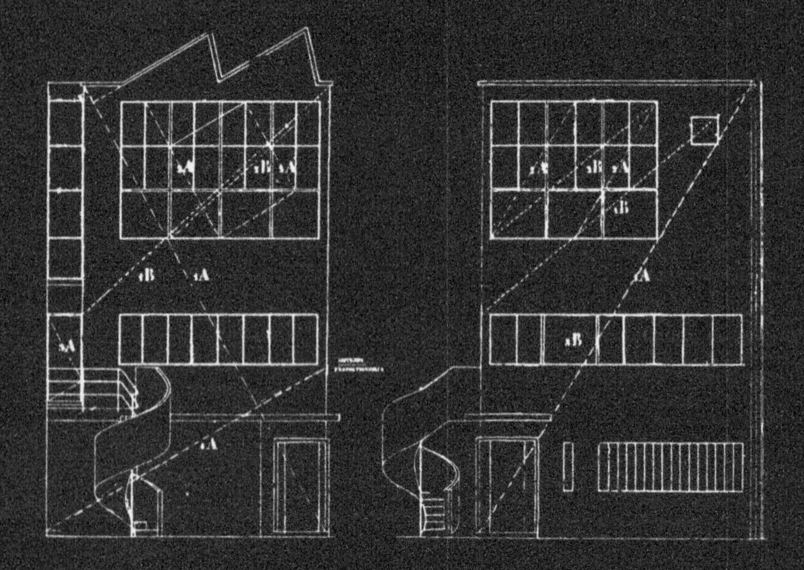

LE CORBUSIER E PIERRE JEANNERET. 1923. Casa do Senhor Ozenfant.

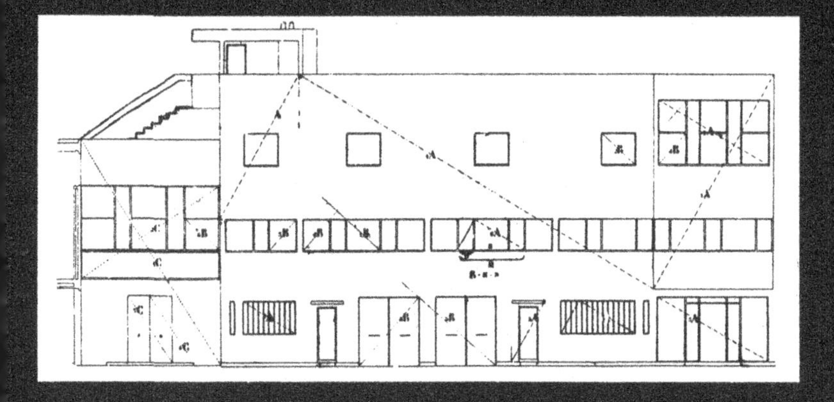

L.C. e P.J. 1924. Duas mansões em Auteil.

Olhos que não Vêem...
1. Os Transatlânticos

Uma grande época começa.

Um espírito novo existe.

Existe uma multidão de obras de espírito novo; são encontradas particularmente na produção industrial.

Os hábitos sufocam a arquitetura.

Os "estilos" são uma mentira.

O estilo é uma unidade de princípios que anima todas as obras de uma época e que resulta de um estado de espírito caracterizado.

Nossa época fixa cada dia seu estilo.

Nossos olhos, infelizmente, não sabem discerni-lo ainda.

Transatlântico **Flandre.** Cia. Transatlântica.

PAUL VERA. Ornamento (A Renascença).

O transatlântico **Aquitania.** Cunard Line, transporta 3 600 pessoas.

Há um espírito novo: é um espírito de construção e de síntese guiado por uma concepção clara.

O que quer que pensemos dele, ele anima hoje a maior parte da atividade humana.

Uma grande época começa

Programa do "Esprit Nouveau", n.º 1, outubro 1920.

Ninguém nega hoje a estética que exala das criações da indústria moderna. Cada vez mais, as construções, as máquinas se afirmam com proporções, jogos de volumes e de matérias tais que muitas dentre elas são verdadeiras obras de arte, porque comportam o número, isto é, a ordem. Ora, os indivíduos de elite que compõem o mundo da indústria e dos negócios e que vivem, em conseqüência, nessa atmosfera viril onde se criam obras inegavelmente belas, se acreditam muito afastados de toda atividade estética. Não têm razão, *pois eles estão entre os mais ativos criadores da estética contemporânea.* Nem os artistas, nem os industriais se dão conta disso. É na produção geral que se acha o estilo de uma época e não, como se crê demasiado, em algumas produções para fins ornamentais, simples superafetações que vêm embaraçar um sistema do espírito que é o único a fornecer os elementos de um estilo. A concha não é o estilo Luís XV, o lótus não é o estilo egípcio etc., etc.

Panfleto do "Esprit Nouveau".

As "artes decorativas" grassam! Após trinta anos de surdo trabalho, ei-las aqui em apogeu. Comentadores entusiasmados falam de *regeneração da arte francesa!* Retenhamos desta aventura (que vai acabar mal) que outra coisa nasceu mais que uma regeneração da decoração: uma nova época substitui uma época que morre. O mecanicismo, fato novo na história humana, suscitou um espírito novo. Uma época cria sua arquitetura que é a imagem clara de um sistema de pensar. Durante o atropelo deste período de crise, precedendo o aparecimento de um novo tempo com idéias desembaraçadas, lúcidas, com vontades claras, a arte decorativa foi como as palhas às quais cremos poder nos agarrar sob as vagas de uma tempestade. Salvação ilusória. Retenhamos da aventura que a arte decorativa foi a ocasião oportuna de expulsar o passado e de buscar às apalpadelas o espírito de arquitetura. O espírito de arquitetura somente pode resultar de um estado de coisas e de um estado de espírito. Parece que os acontecimentos se sucederam bastante rapidamente para que se afirme o estado de espírito

O **Lamoricière.** Cia. Transatlântica.

Aos arquitetos: Uma beleza mais técnica. A estação de Orsay! Uma estética mais perto de suas causas verdadeiras!

O **Aquitania.** Cunard Line.

de época e que possa se formular um espírito de arquitetura. Se as artes decorativas se encontram nesse ápice perigoso que precederá a queda, podemos dizer que, sublevados por elas, os espíritos tomaram conhecimento daquilo a que aspiravam. Podemos crer que soou a hora da arquitetura.

Os gregos, os romanos, o grande século, Pascal e Descartes chamados por equívoco para testemunhar a favor das artes decorativas iluminaram nosso juízo, e eis-nos aqui agora na arquitetura, a arquitetura que é tudo, mas que não é arte decorativa.

Os florões, as lâmpadas e as guirlandas, as ovais rebuscadas onde pombas triangulares se beijam e se entrebeijam, as alcovas guarnecidas de almofadas em forma de abóboras de veludo, de ouro e de preto, não são mais que os testemunhos insuportáveis de um espírito morto. Estes santuários asfixiados dos bem-pensantes ou por outro lado as besteiras "gagás" dos caipiras nos ofendem.

Habituamo-nos ao ar livre e à luz plena.

Engenheiros anônimos, mecânicos sujos de graxa na forja, conceberam e construíram essas coisas formidáveis que são os transatlânticos. Nós os terrestres, faltam-nos meios de apreciação, e seria desejável que, para nos ensinar a tirar o chapéu diante das obras da "regeneração", seja-nos fornecida a ocasião de percorrer os quilômetros de marcha que representa a visita de um transatlântico.

Os arquitetos vivem na estreiteza das aquisições escolares, na ignorância das novas regras de construir, e suas concepções param habitualmente nas pombas que se entrebeijam. Mas os construtores de transatlânticos, ousados e sábios, realizam palácios junto dos quais as catedrais são bem pequenas: e eles os atiram na água!

A arquitetura asfixia-se nos hábitos.

O emprego de paredes espessas, que era uma necessidade outrora, persistiu ainda que delgadas placas de vidro ou de tijolos pudessem fechar um andar térreo encimado por cinqüenta andares.

O **Aquitania.** Cunard Line.

Para os arquitetos: Uma parede toda em janelas, uma sala em plena claridade. Que contraste com nossas janelas de casas que furam uma parede determinando de cada lado uma zona de sombra tornando triste a peça e fazendo a claridade parecer tão dura que as cortinas são indispensáveis para peneirar e amortecer essa luz.

A mesma estética que a do seu cachimbo inglês, do seu móvel de escritório, de sua limusine.

O **Aquitania.** Cunard Line.

Aos senhores arquitetos: Uma casa sobre as dunas da Normandia, concebida como esses navios, seria mais apropriada que os grandes "tetos normandos" tão velhos, tão velhos! Mas se poderia pretender que isso não é estilo marítimo!

Aos arquitetos: O valor de longo corredor, volume satisfatório, interessante; a unidade de matéria, a bela ordenação de elementos construtivos, sadiamente expostos e reunidos com unidade.

O **Lamoricière.** Cia. Transatlântica.

Aos arquitetos: Formas novas de arquitetura, elementos na escala humana, vastos e íntimos, a libertação dos estilos asfixiantes, o contraste dos cheios e dos vazios, das grandes massas e dos elementos graciosos.

Transatlântico **France** construído pelos Estaleiros de Saint-Nazaire.

Da proporção. — Olhemos isso e pensemos nos palácios de Vichy, de Zermatt ou de Biarritz e também nas novas ruas de Passy.

Em uma cidade como Praga por exemplo, um regulamento obsoleto impõe uma espessura de parede de 45 centímetros no cume da casa e de 15 centímetros a mais por andar em baixo, o que leva as construções com espessuras de paredes passíveis de atingir até 1,50m no andar térreo. Hoje, a composição das fachadas com emprego de grandes blocos de pedra tenra conduz à conseqüência paradoxal de que as janelas, concebidas para introduzir a luz, são guarnecidas por aberturas profundas que contrariam formalmente a intenção.

Sobre o solo caro das grandes cidades, vemos ainda surgir das fundações de um edifício, enormes pilastras de alvenaria, embora simples colunas de cimento fossem de igual eficácia. Os telhados, os miseráveis telhados, continuam a dominar, paradoxo indesculpável. Os subsolos continuam úmidos e atravancados e as canalizações das cidades estão sempre escondidas sob o calçamento, como orgãos mortos, malgrado o fato de que uma concepção lógica realizável desde agora traria a solução.

Os "estilos" — pois que é necessário ter feito alguma coisa — intervêm como a grande contribuição do arquiteto. Intervêm na decoração das fachadas e dos salões; são as degenerescências dos estilos, o resto de um velho tempo; mas é o "atenção, continência" respeitoso e servil diante do passado: modéstia inquietante. Mentira, porque "aux belles époques" as fachadas eram lisas com vãos regulares e boas proporções humanas. As paredes eram o mais que possível delgadas. Os palácios? Eram bons para os grão-duques de então. Será que um senhor bem-educado copia os grão-duques de hoje? Compiègne, Chantilly, Versailles, são bons de se ver sob um certo ângulo, mas... haveria muitas coisas a dizer.

Casas como tabernáculos, tabernáculos como casas, móveis como palácios (frontões, estátuas, colunas torsas ou não), jarras como móveis-casas e os pratos de Bernard Palissy onde seria impossível colocar três avelãs!

Os "estilos" permanecem!

Uma casa é uma máquina de morar. Banhos, sol, água quente, água fria temperatura conforme a vontade, conser-

Empress of Asia. Canadian Pacific.

"A arquitetura é o jogo sábio, correto e magnífico dos volumes reunidos sob a luz".

Empress of France. Canadian Pacific.

Uma arquitetura pura, nítida, clara, limpa, sã. — Contraste: os tapetes, as almofadas, os baldaquinos, os papéis pintados em damasco*, os móveis dourados e esculpidos, as cores velha marquesa ou **ballets** russos; morna tristeza desse bazar do Ocidente.

vação dos alimentos, higiene, beleza pela proporção. Uma poltrona é uma máquina de sentar etc. Maple mostrou o caminho. As jarras são máquinas de se lavar: Twyford criou-as.

Nossa vida moderna, toda nossa atividade, com exceção da hora do chá de tília e de camomila, criou seus objetos: seu terno, sua caneta, seu *eversharp* *, sua máquina de escrever, seu aparelho telefônico, seus admiráveis móveis de escritório, os vidros de Saint-Gobain e as malas "Innovation", o barbeador Gillette e o cachimbo inglês, o chapéu coco e a limusine, o transatlântico e o avião.

Nossa época fixa a cada dia seu estilo. Ele está aí sob nossos olhos.

Olhos que não vêem.

É preciso dissipar um equívoco: estamos podres de arte confundida com o respeito pela decoração. Deslocamento do sentimento de arte, incorporado com uma ligeireza de espírito censurável a todas as coisas, aproveitando-se das teorias e das campanhas dirigidas por decoradores que ignoram sua época.

A arte é uma coisa austera que tem suas horas sagradas. São profanadas. Frívola, a arte careteia para um mundo que necessita de organização, de instrumentos, de meios, que se esforça dolorosamente para a estabilização de uma nova ordem. Uma sociedade vive primeiro de pão, de sol, do conforto necessário. Tudo está por fazer! Tarefa imensa! E é tão forte, tão urgente, que o mundo inteiro se absorve nessa imperiosa necessidade. As máquinas conduzirão a uma nova ordem do trabalho, do repouso. Cidades inteiras estão para ser construídas, em vista de um conforto mínimo, cuja ausência prolongada poderia fazer oscilar o equilíbrio das sociedades. A sociedade é instável, se rachando sob um estado de coisas conturbado por cinqüenta anos de progresso que mudaram mais a face do mundo que os seis séculos precedentes.

A hora é de construção, não de brincadeira.

A arte de nossa época está no seu lugar quando se dirige às elites. A arte não é coisa popular, ainda menos

(*) *Eversharp* é o nome de marca de um barbeador elétrico. (N. do T.)

"galinha de luxo". A arte não é um alimento necessário exceto para as elites que devem se recolher para poder dirigir. A arte é por essência altaneira.

No doloroso nascimento desta época que se forma, afirma-se uma necessidade de harmonia.

Que os olhos vejam: esta harmonia está aí, função do labor regido pela *economia* e condicionado pela fatalidade da física. Esta harmonia tem razões; não é o efeito de caprichos mas o de uma construção lógica e coerente com o mundo ambiente. Na ousada transposição dos trabalhos humanos, a natureza está presente, e tanto mais rigorosamente quanto difícil era o problema. As criações da técnica mecanicista são organismos que tendem à pureza e sofrem as mesmas regras evolutivas que os objetos naturais que suscitam nossa admiração. A harmonia está nas obras que saem da oficina ou da usina. Não é Arte, não é a Sistina, nem o Erecteion; são as obras cotidianas de todo um universo que trabalha com consciência, inteligência, precisão, imaginação, ousadia e rigor.

Se esquecemos um instante que um transatlântico é um instrumento de transporte e se o contemplamos com novos olhos nos sentiremos diante de uma manifestação importante de temeridade, de disciplina, de harmonia, de beleza calma, nervosa e forte.

Um arquiteto sério que contempla como arquiteto (criador de organismos) encontrará em um transatlântico a libertação de servidões seculares malditas.

Ele preferirá, ao respeito preguiçoso das tradições, o respeito das forças da natureza; à pequenez das concepções medíocres, a majestade das soluções decorrentes de um problema bem formulado e requeridas por este século de grande esforço que vem dar um passo de gigante.

A casa dos terrestres é a expressão de um mundo obsoleto de pequenas dimensões. O transatlântico é a primeira etapa na realização de um mundo organizado segundo o espírito novo.

Olhos que não Vêem...
2. Os Aviões

O avião é um produto de alta seleção.

A lição do avião está na lógica que presidiu ao enunciado do problema e à sua realização.

O problema da casa não está colocado.

As coisas atuais da arquitetura não respondem mais às nossas necessidades.

No entanto os padrões da habitação existem.

A mecânica traz consigo o fator de economia que seleciona.

A casa é uma máquina de morar.

EXPRESSO-AÉREO.

Há um espírito novo: é um espírito de construção e de síntese guiado por uma concepção clara.

O que quer que pensemos dele, ele anima hoje a maior parte da atividade humana.

UMA GRANDE ÉPOCA COMEÇA

Programa do "Esprit Nouveau", n. 1, outubro 1920.

Há um ofício, um só, a arquitetura, onde o progresso não é a lei, onde a preguiça reina, onde o ontem ainda é a referência.

Por toda parte, alhures, a inquietude do amanhã fustiga e conduz à solução: se não se avança, faz-se falência.

Mas em arquitetura nunca se faz falência. Profissão privilegiada. Ai de mim!

O avião é certamente, na indústria moderna, um dos produtos de mais alta seleção.

A Guerra foi o insaciável cliente, nunca satisfeito, sempre exigindo melhor. A palavra de ordem era ter sucesso e a morte seguia implacavelmente o erro. Podemos então afirmar que o avião mobilizou a invenção, a inteligência e a ousadia: *a imaginação e a razão fria*. O mesmo espírito construiu o Parthenon.

Coloco-me, do ponto de vista da arquitetura, no estado de espírito do inventor dos aviões.

A lição do avião não está tanto nas formas criadas e, para começar, é preciso aprender a não ver em um avião um pássaro ou uma libélula, mas uma máquina de voar; a lição do avião está na lógica que presidiu ao enunciado do problema e que conduziu ao sucesso de sua realização. Quando um problema é colocado, na nossa época, sua solução é fatalmente encontrada.

"FARMAN"

SPAD 33 BLÉRIOT. Berline de transporte. Herbemont, engenheiro.

O problema da casa não está colocado.

Um lugar-comum entre os senhores arquitetos (os jovens): *é preciso acusar a construção.*

Outro lugar-comum entre os mesmos: *quando uma coisa responde a uma necessidade, ela é bela.*

Perdão! Acusar a construção fica bem para um aluno das Artes e Ofícios que faz questão de provar seus méritos. O bom Deus certamente realçou os pulsos e os calcanhares, porém existe o resto.

Quando uma coisa responde a uma necessidade, ela não é bela, ela satisfaz toda uma parte de nosso espírito, a primeira parte, aquela sem a qual não há satisfações ulteriores possíveis; restabeleçamos esta cronologia.

A arquitetura tem um outro significado e outros fins que acusar as construções e responder às necessidades (necessidades tomadas no sentido, aqui subentendido, de utilidade, de conforto, de disposição prática). A ARQUITETURA é a arte por excelência, que atinge o estado de grandeza platônica, ordem matemática, especulação, percepção da harmonia pelas relações comoventes. Eis aí o FIM da arquitetura.

Mas, entremos na cronologia.

Se sentimos a necessidade de outra arquitetura, organismo claro, apurado, é que no estado atual, a sensação de ordem matemática não pode nos atingir porque as *coisas não respondem mais a uma necessidade,* porque não há mais construção na arquitetura. Reina uma extrema confusão: a arquitetura atual não soluciona mais a questão moderna do alojamento e não conhece a estrutura das coisas. Ela não preenche as condições primordiais e não é possível que intervenha o fator superior de harmonia, de beleza.

A arquitetura de hoje não preenche as condições necessárias e suficientes do problema.

É que o problema não se pôs para a arquitetura. Não houve uma guerra útil como foi o caso para o avião.

Hidrotricelular CAPRONI, 3 000 cavalos, transporta 100 passageiros.

Triplano CAPRONI, 2 000 cavalos, transporta 30 passageiros.

Entretanto a paz põe agora o problema: reconstruir o Norte *. Porém, eis a situação: estamos totalmente desarmados, não sabemos construir à maneira moderna, — materiais, sistemas construtivos, CONCEPÇÃO DO ALOJAMENTO. Os engenheiros estavam ocupados com as barragens, com as pontes, com os transatlânticos, com as minas, com as estradas de ferro. Os arquitetos dormiam.

Há dois anos o Norte não se reconstruiu. Somente nesses últimos tempos, nas grandes sociedades de empreitadas, os engenheiros tomaram em mãos o problema da casa, a parte construtiva (materiais e sistema de estrutura) **.

FALTA DEFINIR A CONCEPÇÃO
DO ALOJAMENTO.

O avião nos mostra que um problema bem colocado encontra sua solução. Desejar voar como um pássaro, era colocar mal o problema, e o morcego de Ader não deixou o solo. Inventar uma máquina de voar sem lembranças concedidas a quem quer que seja de estranho à pura mecânica, isto é, buscar um plano sustentador e uma propulsão era colocar corretamente o problema; em menos de 10 anos todo mundo podia voar.

COLOQUEMOS O PROBLEMA

Fechemos os olhos sobre o que existe.

Uma casa: um abrigo contra o calor, o frio, a chuva, os ladrões, os indiscretos. Um receptáculo de luz e de sol. Um certo número de compartimentos destinados à cozinha, ao trabalho, à vida íntima.

Um quarto: uma superfície para circular livremente, um leito de repouso para se estender, uma cadeira para estar à vontade e trabalhar, uma mesa para trabalhar, estantes para arrumar rápido cada coisa em seu "right place" ***.

(*) O autor refere-se ao Norte da França que sofreu enormes destruições durante a 1ª Guerra Mundial e que esperava ser reconstruído. (N. do T.)

(**) 1924. Mas os engenheiros foram rejeitados. A opinião os contradisse. Não se quis suas soluções. Os hábitos permaneceram. Construiu-se como antes, nada mudou: O Norte não quis ser a maravilhosa revelação do após-guerra.

(***) Em inglês no original (N. do T.)

EXPRESSO-AÉREO, Paris-Londres em duas horas.

O **Mosquito**, FARMAN.

Quantos cômodos: um para cozinhar, um para comer, um para trabalhar, um para se lavar e um para dormir. Tais são os padrões do alojamento.

Então por que, sobre as gentis casas dos arredores, esses imensos telhados inúteis? Por que essas raras janelas em forma de pequenos quadrados, por que essas enormes casas com tantas peças fechadas à chave? Então por que esse armário com espelho, essa pia, essa cômoda? Alhures, por que essas bibliotecas ornamentadas de acantos, esses consoles, essas vitrinas, esses móveis para louças, esses móveis para pratarias, esses *buffets* de serviço? Por que esses imensos lustres? Por que essas lareiras? Por que esses leitos com cortinas de tapeçaria? Por que esses papéis nas paredes, cheios de cores, de desenhos, de miniaturas desenhadas e multicoloridas?

Em sua casa não se vê o dia. Suas janelas são incômodas para abrir. Não há os pequenos basculantes para ventilar como os há em todos os vagões-restaurante. Seus candelabros me fazem mal aos olhos. Seus gessos e papéis coloridos são insolentes como os criados e levo de volta o quadro de Picasso que vinha lhe oferecer, porque não seria visto no bazar do interior de sua casa.

E tudo isso lhe custou uns bons 50 000 francos.

Por que você não exige do seu proprietário:

1.º Os compartimentos para roupa de corpo e capotes em seu quarto de dormir, com uma profundidade única à altura humana, e práticos como uma mala "Innovation".

2.º Na sua sala de jantar, os compartimentos para louças, para talheres, para copos, fechando facilmente e com bastante gavetas para que sua "arrumação" seja feita num minuto, e o conjunto embutido na parede a fim de que em torno de sua mesa e de suas cadeiras você tenha o espaço para circular e o sentimento de espaço que lhe proporciona a calma necessária à uma boa digestão.

3.º Na sua grande sala, *compartimentos para que seus livros estejam ao abrigo da poeira assim como sua coleção de quadros e de obras de arte* e de tal maneira que as paredes de sua sala fiquem livres. Você poderá então tirar do compartimento de quadros e pendurá-lo na parede o Ingres (ou sua foto se você for pobre) que lhe é lembrado nessa tarde pela crônica de seu jornal.

Seus móveis para louça, seus móveis para prataria, você os venderá a alguém desses povos jovens que acabam de nascer no mapa e onde, precisamente, o *Progresso* grassa e onde

SPAD XIII BLÉRIOT, engenheiro, Senhor Bechneau.

EXPRESSO-AÉREO

se abandona a casa tradicional (com seus compartimentos etc.) para habitar as casas do progresso "à moda européia" com gessos e lareiras.

Repitamos axiomas fundamentais:

a) *As cadeiras são feitas para se sentar.* Existem as cadeiras de palha das igrejas por 5 francos, as poltronas Maples por 1 000 francos e as *morris-chairs* com inclinação graduada com pequena prancha móvel para o livro de leitura, pequena prancha para a xícara de café, prolongação para estender os pés, respaldo basculante com manivela para tomar as posições mais perfeitas desde a sesta até o trabalho, higiênica, confortável e corretamente. Suas poltronas largas e profundas, seus canapés Luís XVI com Aubusson ou Salão de Outono com almofadas em forma de abóbora, são máquinas de se sentar? Cá entre nós, você tem mais conforto no seu círculo, no seu banco ou no seu escritório.

b) *A eletricidade dá claridade.* Há as rampas dissimuladas e também refletores e projetores. Enxerga-se tão claro como em pleno dia, e nunca a vista fica irritada.

Uma lâmpada de 100 velas pesa 50 gramas, mas você tem candelabros de 100 quilogramas ornamentado com formas redondas por cima, de bronze ou de madeira, e tão grandes que ocupam todo o centro da peça e cuja manutenção é terrível por causa das moscas que defecam em cima. E também causam problemas aos olhos, à noite.

c) *As janelas servem para iluminar um pouco, muito, nada e para olhar para fora.* Há as janelas de vagão-leito que se fecham hermeticamente, que se abrem à vontade; há as grandes paredes de vidro dos cafés modernos que se fecham hermeticamente mas que podem se abrir completamente graças à manivela que as faz descer até ao solo; há as janelas dos vagões-restaurante que têm pequenas venezianas de vidro que se abrem para ventilar um pouco, muito, nada; há os vidros de Saint-Gobain que substituíram os fundos de garrafa e os vitrais; há as venezianas que podem se fazer descer por frações e interceptar a luz à vontade conforme a distância de suas finas lâminas. Mas, os arquitetos só praticam as janelas tipo Versailles ou Compiègne, Luís X, Y ou Z que fecham mal, que têm pequenos quadrados, que se abrem com dificuldade e cujas persianas estão do lado de fora; se chove à noite, para puxá-las, recebe-se a chuva.

d) *Os quadros são feitos para ser meditados.* Rafael, Ingres ou Picasso são feitos para ser meditados. Se Ra-

Golias FARMAN, para bombardeios.

EXPRESSO-AÉREO, o Golias Farman.

fael, Ingres ou Picasso custam muito caro, as reproduções fotográficas são baratas. Para meditar diante de um quadro, é preciso que ele seja apresentado em bom lugar e em uma atmosfera calma. O verdadeiro colecionador de quadros os classifica em um compartimento e pendura na parede o quadro que lhe agrada olhar; mas suas paredes são como coleções de selos, selos que amiúde não têm valor.

e) *Uma casa é feita para ser habitada.* Não é possível! — Mas sim! — Você é um utópico!

Para dizer a verdade, o homem moderno se entedia mortalmente em casa então vai ao círculo. A mulher moderna se entedia fora de sua alcova; vai ao chá das cinco. O homem e a mulher modernos se entediam em casa; vão ao *dancing*. Porém os humildes que não têm círculo se amontoam de noite sob o candelabro e temem circular no dédalo de seus móveis que ocupam todo o espaço e que são toda sua fortuna e todo seu orgulho.

A planta das casas rejeita o homem e é concebida como guarda-moveis. Essa concepção favorável ao comércio do subúrbio Saint-Antoine é nefasta à sociedade. Ela mata o espírito de família, de lar; não há lar, família e crianças, porque é demasiado incômodo viver.

A liga contra o alcoolismo e a liga para o repovoamento devem endereçar um apelo urgente aos arquitetos; elas devem imprimir o MANUAL DA HABITAÇÃO, distribuí-lo às mães de família e exigir a demissão dos professores da Escola de Belas-Artes.

MANUAL DA HABITAÇÃO

Exijam uma *toilette* com boa iluminação, uma das maiores peças do apartamento, o antigo salão por exemplo. Uma parede toda de janelas abrindo, se possível, para um terraço para banhos de sol; pias de porcelana, banheira, duchas, aparelhos de ginástica.

Peça contígua: guarda-roupa onde vocês se vestirão e tirarão a roupa. Não tirem a roupa no quarto de dormir. É pouco higiênico e isso cria uma desordem penosa. No guarda-roupa *, exijam armários embutidos para a roupa e os capotes, não mais altos que 1,50m, com gavetas, cabides etc.

(*) Ignoro porque se entende, na linguagem moderna, que o guarda-roupa seja um aparelho sanitário; os tempos da lavagem já se foram +.

(+) A frase francesa da nota acima admite dificilmente uma tradução portuguesa pois o autor utiliza um sentido especial das palavras "garde-robe" e "chais$e-percée". No século XVI, a "chaise-percée" (literalmente "cadeira furada" sob o assento da qual se encontrava um vaso sanitário) era guardada no "garde--robe" (quarto onde se guardavam as roupas e onde as pessoas se trocavam). (N. do T.)

O Golias FARMAN. Paris-Praga em seis horas, Paris-Varsóvia em nove horas.

Exijam uma grande sala em lugar de todos os salões.

Exijam paredes nuas no seu quarto de dormir, na sua grande sala, na sua sala de jantar. Compartimentos nas paredes substituirão os móveis que custam caro, devoram espaço e necessitam manutenção.

Reclamem a supressão dos gessos e das portas com quadrados talhados na madeira que implicam um estilo indecente.

Se puderem, coloquem a cozinha bem junto do telhado para evitar os odores.

Exijam de seu proprietário que, para compensar as estátuas de gesso e as tapeçarias, ele instale a luz elétrica em filas escondidas ou refletores.

Exijam o vazio.

Comprem somente móveis práticos e nunca móveis decorativos. Vão aos velhos castelos ver o mau gosto dos grandes reis.

Não coloquem nas paredes mais que poucos quadros e somente obras de qualidade. Não tendo quadros, comprem as fotografias desses quadros.

Coloquem suas coleções em gavetas ou compartimentos. Tenham o respeito profundo pelas verdadeiras obras de arte.

O gramofone ou a pianola lhes dará interpretações exatas das fugas de Bach e lhes evitará a sala de concerto e as gripes, o delírio dos virtuoses.

Exijam basculantes nas janelas de todas as suas peças.

Ensinem aos seus filhos que a casa só é habitável quando a luz abunda, quando os pisos e as paredes são claros. Para entreter bem seus pisos, suprimam os móveis e os tapetes do Oriente.

Exijam de seu proprietário uma garagem de automóvel, de bicicleta e de motocicleta por apartamento.

Exijam o quarto dos domésticos no andar. Não deposite seus domésticos na mansarda.

Aluguem apartamentos uma vez menores do que aqueles aos quais seus pais os habituaram. Pensem na economia de seus gestos, de suas ordens e de seus pensamentos.

Conclusão. Em todo homem moderno, há uma mecânica. O sentimento da mecânica existe motivado pela atividade cotidiana. Esse sentimento é, em relação à mecânica, de respeito, de gratidão e estima.

A mecânica traz consigo o fator de economia que seleciona. Há no sentimento mecânico, sentimento moral.

O homem inteligente, frio e calmo adquire asas.

Procura-se homens inteligentes, frios e calmos para construir a casa, para traçar a cidade.

Os Senhores Loucheur e Bonnevay propuseram uma lei que tem por objetivo a construção, durante 10 anos, 1921 a 1930, de 500 000 alojamentos econômicos e salubres.

As previsões financeiras são baseadas sobre um preço de custo de 15 000 francos* por casa.

Atualmente, as menores casas, construídas sobre os dados dos senhores arquitetos tradicionalistas, não custam menos de 25 000 a 30 000 francos.

Para realizar o programa Loucheur, é preciso então transformar totalmente os hábitos respeitados pelos senhores arquitetos, peneirar o passado e todas suas lembranças através das malhas da razão, pôr o problema como o fizeram os engenheiros de aviação e construir em série máquinas de morar.

(*) 1924. Hoje atingimos os 28 ou 40 000 francos.

Olhos que não Vêem...
3. Os Automóveis

É necessário tender para o estabelecimento de padrões para poder enfrentar o problema da perfeição.

O Parthenon é um produto de seleção aplicada a um padrão.

A arquitetura age sobre os padrões.

Os padrões são coisa de lógica, de análise, de estudo escrupuloso; são estabelecidos a partir de um problema bem colocado. A experimentação fixa definitivamente o padrão.

FREIO DIANTEIRO DELAGE.

Essa precisão, essa nitidez de execução, não lisonjeia somente um sentimento recém-nascido da mecânica. Fídias sentia assim; o entablamento do Parthenon testemunha isso. Igualmente os egípcios quando poliam as Pirâmides. Era no tempo em que Euclides e Pitágoras ditavam a conduta dos seus contemporâneos.

DELAGE, 1921.

Se o problema da habitação do apartamento fosse estudado como um chassis, veríamos nossas casas se transformarem, melhorarem rapidamente. Se as casas fossem construídas industrialmente, em série, como os chassis, veríamos surgir rapidamente formas inesperadas, porém sadias, justificáveis e a estética se formularia com uma precisão surpreendente.

Há um espírito novo: é um espírito de construção e de síntese guiado por uma concepção clara.

Programa do "Esprit Nouveau", n. 1, outubro 1920.

É preciso tender para o estabelecimento de *padrões* para enfrentar o problema da *perfeição*.

O Parthenon é um produto de seleção aplicado a um padrão estabelecido. Desde um século o templo grego já estava organizado em todos seus elementos.

Quando um padrão é estabelecido, se exerce o jogo da concorrência imediata e violenta. É a competição; para ganhar, é preciso fazer melhor que o adversário *em todas as partes*, na linha de conjunto e em todos os detalhes. Então é o estudo aprofundado das partes. Progresso.

O padrão é uma necessidade de ordem trazida para o trabalho humano.

O padrão se estabelece sobre bases certas, não arbitrariamente, mas com a segurança das coisas motivadas e de uma lógica controlada pela análise e pela experimentação.

Todos os homens têm o mesmo organismo, mesmas funções.

Todos os homens têm as mesmas necessidades.

O contrato social que evolui através das idades determina classes, funções, necessidades padronizadas, gerando produtos de uso padronizado.

A casa é um produto necessário ao homem.

O quadro é um produto necessário ao homem por responder a necessidades de ordem espiritual, determinadas pelos padrões da emoção.

Todas as grandes obras são baseadas sobre os poucos grandes padrões do coração: *Édipo, Fedra, O Filho Pródigo, As Madonas, Paulo e Virgínia, Filêmon e Baucis, O Pobre Pescador, La Marseillaise, Madelon vient nos verser à boire...*

Estabelecer um padrão, é esgotar todas as possibilidades práticas e razoáveis, deduzir um tipo reconhecido conforme as funções, com rendimento máximo, com emprego mínimo de meios, mão-de-obra e matéria, palavras, formas, cores, sons.

PESTUM, de 600 a 550 a.C.

HUMBERT, 1907.

PARTHENON, de 447 a 434 a.C.

DELAGE, Grand-Sport 1921.

HISPANO-SUIZA. Carroceria Ozenfant, 1911.

BIGNAN-SPORT, 1921.

O automóvel é um objeto com uma função simples (rodar) e para fins complexos (conforto, resistência, aspecto), que colocou a grande indústria diante da necessidade imperiosa de padronizar. Todos os automóveis têm as mesmas disposições essenciais. Pela concorrência infatigável entre os inúmeros estabelecimentos que os constroem, cada um deles se viu na obrigação de dominar a concorrência, e, sob o padrão das coisas práticas realizadas, interveio a busca de uma perfeição, de uma harmonia, afastado do dado bruto prático, uma manifestação não somente de perfeição e harmonia, mas de beleza.

Daí nasce o estilo, isto é, esta conquista unanimemente reconhecida de um estado de perfeição unanimemente sentida.

O estabelecimento de um padrão procede da organização de elementos racionais conforme uma linha de conduta igualmente racional. A massa envolvente não é preconcebida, *ela resulta;* pode ter uma aparência estranha ao primeiro contato. Ader fazendo um morcego, não conseguia fazê-lo voar; Wright ou Farman fazendo planos sustentadores, era chocante, desconcertante, porém voava. O padrão estava fixado. Veio o aperfeiçoamento.

Os primeiros automóveis foram construídos e dotados de carroceria à moda antiga. Isso contrariava as modalidades de deslocamento e de penetração rápida de um corpo. O estudo das leis de penetração fixou o padrão, um padrão que evolui entre dois fins diferentes: velocidade, grande massa dianteira (carro de corrida); conforto, volume importante atrás (limusine). Nos dois casos, nenhum ponto em comum com a antiga carroça com deslocamento lento.

As civilizações avançam. Deixam a idade do camponês, do guerreiro e do sacerdote, para atingir o que se chama justamente a cultura. A cultura é o resultado de um esforço de seleção. Seleção quer dizer afastar, podar, limpar, fazer sobressair nu e claro o Essencial.

Do primitivismo da capela românica, passou-se à Notre-Dame de Paris, aos Inválidos, à praça da Concorde. Purificou-se, afirmou-se a sensação, afastou-se o decorativo e conquistou-se a proporção e a medida; avançou-se; passou-se das satisfações primárias (o decorativo) às satisfações superiores (matemática).

Se restam armários bretões na Bretanha, é que os bretões ficaram na Bretanha, bem longe, bem estáveis, sempre ocupados com a pesca e com a criação. Não é conveniente que os senhores da boa sociedade durmam, em sua

Hidrotricelular CAPRONI.

Esta imagem mostra como se criam organismos plásticos, com a simples instigação de um problema bem formulado.

O PARTHENON.

Pouco a pouco, o templo se formula, passa da construção à arquitetura. Cem anos mais tarde o Parthenon fixará o ponto culminante da ascensão.

CAPRONI-EXPLORAÇÃO.

A poesia não está somente no verbo. Mais forte é a poesia dos fatos. Objetos que significam alguma coisa e que são dispostos com tato e talento criam um fato poético.

O PARTHENON.

Cada parte é decisiva, marca o máximo de precisão, de expressão; a proporção aí se lê categórica.

Torpedo-Sport, 1921.

É mais definitivo formular um julgamento sobre um homem verdadeiramente elegante que sobre uma mulher elegante, porque o terno masculino é padronizado. A presença de Fídias ao lado de Ictinos e de Calícrates é indiscutível e também sua dominação porque os templos da época eram todos do mesmo tipo e o Parthenon supera desmesuradamente a todos.

BELLANGER.

mansão de Paris, em um leito bretão; não é conveniente que um senhor que possui uma limusine durma num leito bretão, etc. Basta dar-se conta disso e tirar as deduções lógicas. Possuir uma limusine e um leito bretão é, infelizmente, corrente.

Todo mundo exclama com convicção e entusiasmo: "A limusine marca o estilo da nossa época!" e o leito bretão se vende e se fabrica sempre nos antiquários.

Mostremos então o Parthenon e o automóvel a fim de que se compreenda que se trata aqui, em domínios diferentes, de dois produtos de seleção, um tendo sido realizado, o outro estando em vias de progresso. Isso enobrece o automóvel. E então? Então resta comparar nossas casas e nossos palácios com os automóveis. É aqui que tudo fracassa, que nada funciona. É aqui que não temos nossos Parthenons.

O padrão da casa é de ordem prática, de ordem construtiva. Tentei enunciá-lo no precedente capítulo sobre os aviões.

O programa Loucheur que comporta 500 000 alojamentos a construir-se em dez anos fixará sem dúvida o padrão da habitação operária.

O padrão da mobília está em plena via de experimentação nos fabricantes de móveis de escritório, de malas, nos relojoeiros etc. Não há mais que prosseguir nessa via: tarefa de engenheiro. E todas as futilidades ditas acerca do objeto único, do móvel de arte, soam falso e provam uma incompreensão irritante das necessidades da hora presente: uma cadeira não é uma obra de arte; uma cadeira não tem uma alma; é um instrumento para se sentar.

A arte, em um país de alta cultura, encontra seu meio de expressão na obra de arte verdadeira, concentrada e desembaraçada de quaisquer fins utilitários, o quadro, o livro, a música.

Toda manifestação humana necessita um certo *quantum* de interesse e isso sobretudo no domínio estético; esse interesse é de ordem sensorial e de ordem intelectual. A decoração é de ordem sensorial e primária assim como a cor, e convém aos povos simples, aos camponeses e aos selvagens. A harmonia e a proporção solicitam o intelecto, atraem o homem culto. O camponês gosta do ornamento e

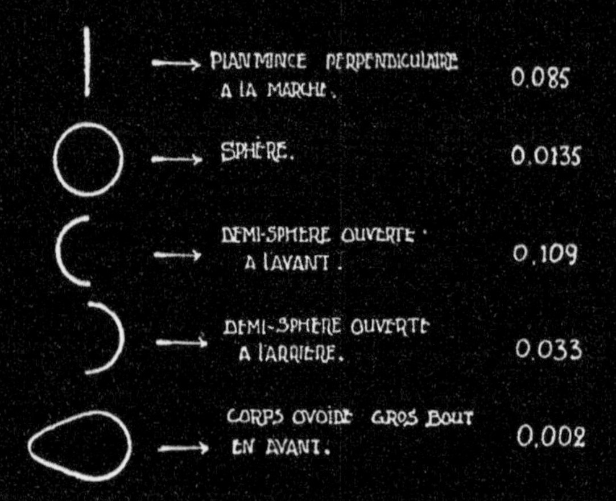

O cone de melhor penetração, saído da experimentação e do cálculo, confirma as criações naturais, o peixe, o pássaro etc.

Em busca de um padrão.

"L'ANCÊTRE" : L'EXTRAORDINAIRE VOITURE DE CUGNOT EN 1770

"L'OBÉISSANTE" D'AMÉDÉE BOLLÉE (1873) QUI ALLA DU MANS A PARIS

— EN PLEINE VITESSE

pinta afrescos. O civilizado usa o terno inglês e possui quadros de cavalete e livros.

A decoração é o supérfluo necessário, *quantum* do camponês, e a proporção é o supérfluo necessário, *quantum* do homem culto.

Em arquitetura, o *quantum* de interesse é atingido pelo agrupamento e a proporção das peças e dos móveis; tarefa de arquiteto. A beleza? É um imponderável agindo somente pela presença formal das bases primordiais: satisfação racional do espírito (utilidade, economia); em seguida, cubos, esferas, cilindros, cones etc. (sensorial). Depois... o imponderável, as relações que criam o imponderável; é o gênio inventivo, o gênio plástico, o gênio matemático, esta capacidade de medir a ordem, a unidade, de organizar segundo leis claras todas essas coisas que excitam e satisfazem plenamente nossos sentidos visuais.

Nascem então as sensações diversas, evocadoras de tudo o que um homem de alta cultura viu, sentiu, amou, que desencadeiam, por meios implacáveis, esses frêmitos já experimentados no drama da vida: a natureza, os homens, o mundo.

Nessa época de ciência, de luta e de drama em que o indivíduo é violentamente sacudido em cada hora, o Parthenon nos aparece como uma obra viva, repleta de grandes sonoridades. A massa de seus elementos infalíveis dá a medida daquilo que o homem absorvido por um problema definitivamente formulado pode atingir em perfeição. Essa perfeição é aqui de tal maneira fora das normas, que a vista do Parthenon não pode presentemente se harmonizar em nós senão com sensações muito limitadas, constatação inesperada, as sensações mecânicas; senão com estas grandes máquinas impressionantes que vimos e que nos parecem como os resultados mais perfeitos da atividade atual, únicos produtos verdadeiramente acabados de nossa civilização.

Fídias teria gostado de viver nessa época de padrões. Teria admitido a possibilidade, a certeza de um sucesso. Que seus olhos tivessem visto nossa época, os resultados probantes de seu esforço. Ele teria repetido logo a experiência do Parthenon.

A arquitetura age sobre padrões. Os padrões são coisas de lógica, de análise, de estudo escrupuloso. Os padrões se

O PARTHENON.

Fídias, construindo o Parthenon, não fez obra de construtor, de engenheiro, de projetista. Todos os elementos existiam. Ele fez

estabelecem a partir de um problema bem formulado. A arquitetura é invenção plástica, é especulação intelectual, é matemática superior. A arquitetura é uma arte muito digna.

O padrão, imposto pela lei de seleção, é uma necessidade econômica e social. A harmonia é um estado de concordância com as normas de nosso universo. A beleza domina; ela é de criação puramente humana; ela é o supérfluo necessário somente àqueles que têm uma alma elevada.

O cone de melhor penetração, saído da experimentação e do cálculo, confirma as criações naturais, o peixe, o pássaro etc. Aplicação experimental: o dirigível, o automóvel de corrida.

Mas é preciso primeiro tender para o estabelecimento de padrões para enfrentar o problema da perfeição.

Arquitetura
1. A Lição de Roma

A arquitetura consiste em estabelecer relações comoventes com materiais brutos.

A arquitetura está além das coisas utilitárias.

A arquitetura é coisa de plástica.

Espírito de ordem, unidade de intenção; o sentido das relações; a arquitetura gera quantidades.

A paixão faz das pedras inertes um drama.

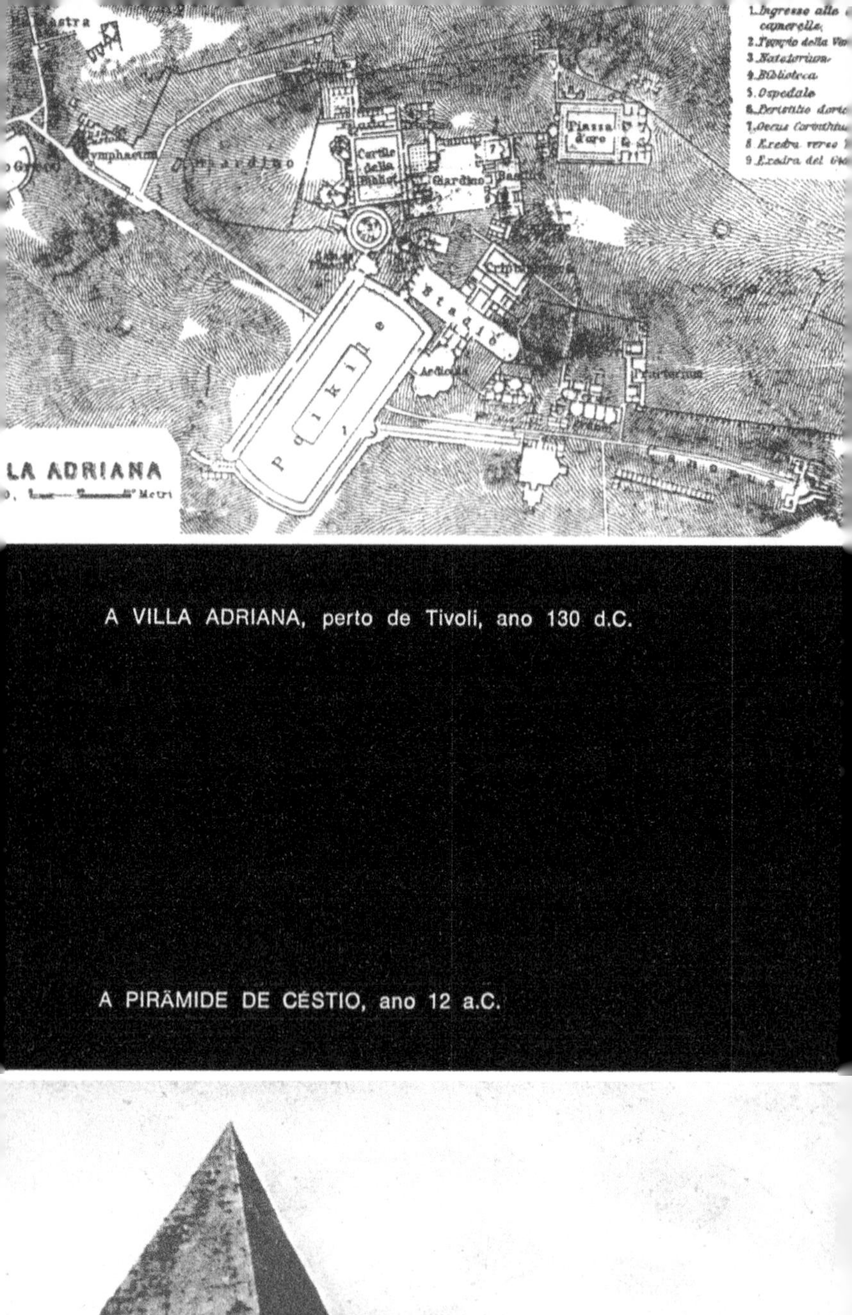

A VILLA ADRIANA, perto de Tivoli, ano 130 d.C.

A PIRÂMIDE DE CESTIO, ano 12 a.C.

Utilizamos a pedra, a madeira, o cimento; com eles fazemos casas, palácios; é a construção. A engenhosidade trabalha.

Mas, de repente, você me interessa fortemente, você me faz bem, sou feliz, digo: é belo. Eis aí a arquitetura. A arte está aqui.

Minha casa é prática. Obrigado, assim como obrigado aos engenheiros das estradas de ferro e à Companhia dos Telefones. Vocês não tocaram meu coração.

Mas as paredes se elevam no céu em uma ordem tal que fico comovido. Sinto suas intenções. Vocês eram delicados, brutais, encantadores ou dignos. Suas pedras mo dizem. Vocês me prendem a esse lugar e meus olhos contemplam. Meus olhos contemplam algo que enuncia um pensamento. Um pensamento que se ilumina sem palavras nem sons, porém unicamente com prismas que mantêm relações entre si. Esses prismas são tais que a luz os detalha claramente. Essas relações nada têm de necessariamente prático ou descritivo. São uma criação matemática de seu espírito. São a linguagem da arquitetura. Com materiais brutos, sobre um programa mais ou menos utilitário que vocês ultrapassam, vocês estabeleceram relações que me comoveram. É a arquitetura.

Roma é uma paisagem pitoresca. Lá a luz é tão bela que ratifica tudo. Roma é um bazar onde se vende de tudo. Todos os utensílios da vida de um povo lá ficaram, o brinquedo da infância, as armas dos guerreiros, os restos dos altares, as bacias dos Borgia e os penachos dos aventureiros. Em Roma o Feio é legião.

Se nos lembramos do grego, pensamos que o romano tinha um mau gosto, o Romano-romano, o Júlio II e o Vitor-Emmanuel.

Roma antiga era esmagada dentro de muros sempre muito apertados; uma cidade que se amontoa não é bela. Roma Renascença teve ímpetos pomposos, disseminados pelos quatro cantos da cidade. Roma Vitor Emmanuel coleciona, etiqueta, conserva e instala sua vida moderna nos

O COLISEU, ano 80 d.C.

ARCO DE CONSTANTINO, ano 12 d.C.

INTERIOR DO PANTEÃO, ano 120 d.C.

O PANTEÃO, ano 120 d.C.

corredores desse museu e se proclama "romana" pelo monumento comemorativo a Vitor Emmanuel I, no centro da cidade, entre o Capitólio e o Forum... quarenta anos de trabalho, algo maior que tudo, e em mármore branco!

Decididamente, tudo se amontoa demais em Roma.

I ROMA ANTIGA

Roma se ocupava em conquistar o universo e geri-lo. Estratégia, abastecimento, legislação: espírito de ordem. Para administrar uma grande casa de negócios, adota-se princípios fundamentais, simples, irrecusáveis. A ordem romana é uma ordem simples, categórica. Se é brutal, pior ou melhor.

Eles tinham imensos desejos de dominação, de organização. Em Roma-arquitetura, nada a fazer, as muralhas estreitavam demais, as casas empilhavam seus andares em dez alturas, antigo arranha-céu. O Forum devia ser feio, um pouco como o confuso amontoado da cidade santa de Delfos. Urbanismo, grandes traçados? Nada a fazer.

É preciso ir ver Pompéia que é emocionante de retitude. Eles tinham conquistado a Grécia e, como bons bárbaros, tinham achado o coríntio mais belo que o dórico, porque era mais florido. Adiante então, os capitéis de acanto, os entablamentos decorados sem grande medida, nem gosto! Mas embaixo, havia qualquer coisa de romano que vamos ver. Em suma construíam chassis soberbos, mas desenhavam carrocerias deploráveis como as carruagens (landaus) de Luís XIV. Fora de Roma, dispondo de ar, fizeram a Villa Adriana. Aí se medita sobre a grandeza romana. Lá, eles ordenaram. É a primeira grande ordenação ocidental. Se se evoca a Grécia diante desse julgamento, se diz: "o grego é um escultor, nada mais". Porém cuidado, a arquitetura não é somente ordenação. A ordenação é uma das prerrogativas fundamentais da arquitetura. Passear na Villa Adriana e dizer que a potência moderna de organização que é "romana" ainda nada fez, que tormento para um homem que se sente partícipe, cúmplice, desse fracasso desarmante!

Não havia problemas de regiões devastadas, mas o de equipar as regiões conquistadas; era a mesma coisa. Então eles inventaram procedimentos construtivos e fizeram coisas impressionantes com eles, coisas "romanas". A palavra tem um sentido. Unidade de procedimento, força de intenção, classificação dos elementos. As cúpulas imensas, os tambores que as retêm, as abóbadas imponentes, tudo isso se sustenta com o cimento romano e permanece um objeto de admiração. Eles foram grandes empreendedores.

INTERIOR DE SANTA MARIA DE COSMEDIN.

Força de intenção, classificação dos elementos é prova de uma forma de espírito: estratégia, legislação. A arquitetura é sensível a essas intenções, *ela rende*. A luz acaricia as formas puras: *isso rende*. Os volumes simples desenvolvem imensas superfícies que se enunciam com uma variedade característica conforme se trate de cúpulas, de abóbadas, de cilindros, de prismas retangulares ou de pirâmides. A decoração das superfícies (paredes) é do mesmo grupo de geometria. Panteão, Coliseu, aquedutos, pirâmide de Céstio, arcos de triunfo, basílica de Constantino, termas de Caracala.

Nada de palavrório, ordenação, idéia única, ousadia e unidade de construção, emprego dos prismas elementares. Moralidade sadia.

Conservemos dos romanos o tijolo e o cimento romano e a pedra calcária e vendamos aos bilionários o mármore romano. Os romanos nada sabiam do mármore.

II ROMA BIZANTINA

Contragolpe da Grécia, através de Bizâncio. Desta vez, não é a admiração de um primário diante do emaranhado florido de uma acanto: gregos de origem vêm construir Santa Maria de Cosmedin. Uma Grécia bem longe de Fídias, mas que conserva a semente dele, isto é, o sentido das relações, a matemática graças à qual a perfeição torna-se acessível. Essa pequenina igreja de Santa Maria, igreja de pobres, proclama em Roma ruidosamente luxuosa, o fausto insígne da matemática, a potência invencível da proporção, a eloqüência soberana das relações. O motivo não é mais que uma basílica, isto é, esta forma de arquitetura com a qual se faz as granjas, os galpões. As paredes são de reboco de cal. Não há mais que uma cor, o branco; força certa pois é o absoluto. Essa igreja minúscula os retém de respeito. "Oh!" dizem vocês, vocês que vêm de São Pedro ou do Palatino ou do Coliseu. Os senhores sensuais da arte, os animalistas da arte, serão atrapalhados por Santa Maria de Cosmedin. E pensar que essa igreja estava em Roma quando reinava a Grande Renascença com seus palácios banhados a ouro, horrorosos!

A Grécia através de Bizâncio, pura criação do espírito. A arquitetura não somente feita de ordenação, de belos prismas sob a luz. Há uma coisa que nos arrebata, é a medida. Medir. Repartir em quantidade ritmadas, animadas por um sopro igual, passar em toda parte a relação unitária e sutil, equilibrar, *resolver a equação*. Porque se a expressão choca quando se fala de pintura, ela é própria à arquitetura que

AS ABSIDES DE SÃO PEDRO.

NAVE DE SANTA MARIA DE COSMEDIN, ano 790 e 1120 d.C.

AS ABSIDES DE SÃO PEDRO.

PÚLPITO DE SANTA MARIA DE COSMEDIN.

ÁTICO DAS ABSIDES DE SÃO PEDRO.

ENTABLAMENTO DAS ABSIDES DE SÃO PEDRO (executado por Michelangelo).

Planta de São Pedro, estado atual, a nave foi prolongada de toda a parte hachuriada. Michelangelo queria dizer alguma coisa, tudo foi abolido.

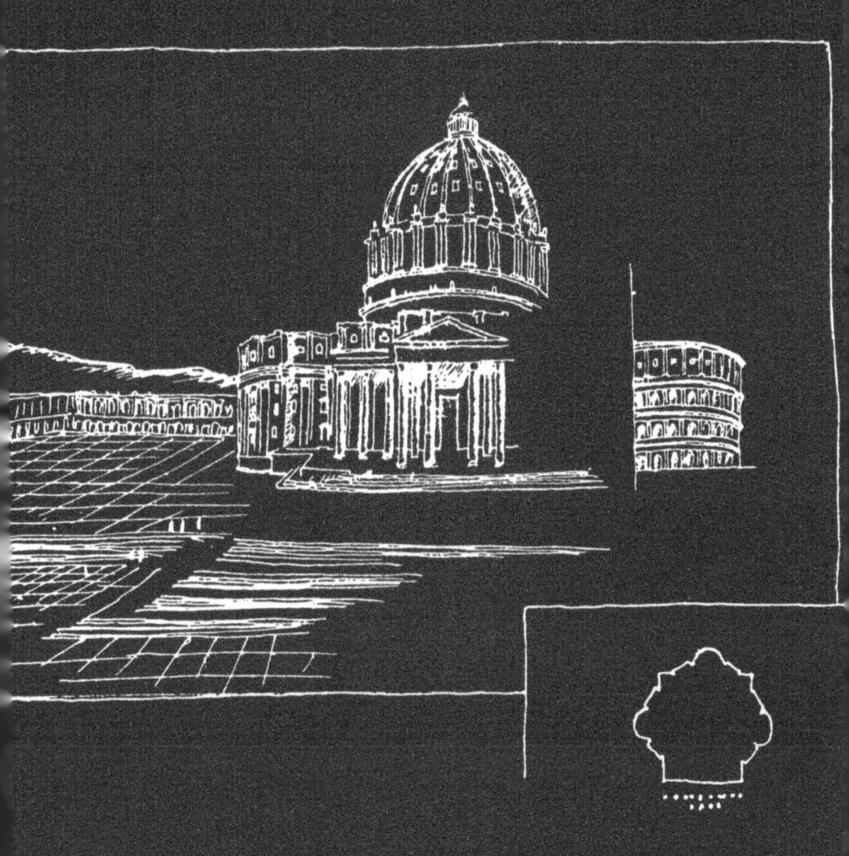

São Pedro. Projeto de Michelangelo (1547-1564). As dimensões são consideráveis. Construir tal cúpula em pedra era uma proeza que poucos ousavam arriscar. São Pedro cobre 15 000 m^2 e Notre-Dame de Paris, 5 955; Santa Sofia de Constantinopla, 6 900 m^2. A cúpula tem 132 m de altura, o diâmetro ao nível das absides, 150 m. A ordenação geral das absides e do ático é aparentada à do Coliseu; as alturas são as mesmas. O projeto tinha uma unidade total, agrupava os mais belos elementos e os mais opulentos: o pórtico, os cilindros, os prismas quadrados, o tambor, a cúpula. A moldura é a mais apaixonada que seja, áspera e patética. Tudo se elevava como um bloco, único, inteiro. O olho o apreendia de uma só vez, Michelangelo realizou as absides e o tambor da cúpula. Depois o resto caiu em mãos bárbaras, tudo foi aniquilado. A humanidade perdeu umas das obras capitais da inteligência. Se imaginamos Michelangelo percebendo o desastre, é um drama espantoso que se desvela.

PORTA PIA DE MICHELANGELO

Praça São Pedro, estado atual; verbalismo, palavras mal colocadas. A colunata de Bernin é bela em si. A fachada é bela em si, mas nada tem a ver com a cúpula. O objetivo era a cúpula; foi escondida! A cúpula combinava com as absides; foram escondidas! O pórtico era um volume inteiro; foi transformado num elemento de fachada.

JANELA DAS ABSIDES DE SÃO PEDRO.

A ROMA DOS HORRORES:

1. Roma Renascença, Castelo Santo Ângelo.

2. Roma Renascença, Galeria Colonna.

1. Roma moderna, Palácio de Justiça.

2. Roma Renascença, Palácio Barberini.

não se ocupa de nenhuma figuração, de nenhum elemento tocante ao rosto do homem, a arquitetura que gere *quantidades*. Essas quantidades constituem um amontoado de materiais em ação; medidas, incorporadas na equação, constituem ritmos, falam cifras, falam relação, falam espírito.

No silêncio de equilíbrio de Santa Maria de Cosmedin, se eleva a rampa oblíqua de uma cátedra, se inclina o livro de pedra de um púlpito em uma conjugação silenciosa assim como um gesto de assentimento. Essas duas oblíquas modestas que se conjugam na engrenagem perfeita de uma mecânica espiritual constituem a beleza pura, simples da arquitetura.

III MICHELANGELO

A inteligência e a paixão. Não há arte sem emoção, nem emoção sem paixão. As pedras são inertes, dormentes nas pedreiras, e as absides de São Pedro constituem um drama. Em torno das obras decisivas da humanidade está o drama. Drama-arquitetura = homem do universo e dentro do universo. O Parthenon é patético, as pirâmides do Egito, outrora de granito polido e luzentes como o aço, eram patéticas. Emitir fluidos, tempestades, brisas suaves sobre a planície ou o mar, elevar montanhas altaneiras com pedras que constituem as paredes da casa de um homem, isso é realizar relações concertadas.

Tal homem, tal drama, tal arquitetura. Não afirmar com demasiada certeza que as massas suscitam seu homem. Um *homem* é um fenômeno excepcional que se repete em longas etapas talvez ao acaso, talvez conforme a freqüência de uma cosmografia ainda a determinar.

Michelangelo é o homem de nossos últimos mil anos como Fídias foi o do precedente milênio. A Renascença não fez Michelangelo, ela fez um amontoado de simples homens de talento.

A obra de Michelangelo é uma *criação,* não uma renascença, criação que domina as épocas classificadas. As absides de São Pedro são de estilo coríntio. Imaginem! Vejam-nas e lembrem-se da Madeleine. Ele viu o Coliseu e reteve suas felizes medidas; as termas de Caracala e a basílica de Constantino lhe mostraram os limites que convinha superar com uma intenção elevada. Desde então, as rotundas, os retoques, os planos cortados, o tambor da cúpula, o pórtico hipostilo, geometria gigantesca em relações concordantes. Depois reinício dos ritmos pelos estilóbatas, pilastras, entablamentos com perfis totalmente novos. Depois janelas e ninchos que recomeçam o ritmo ainda uma vez. A massa total constitui uma novidade impressionante no dicionário da arquitetura; é bom deter um instante sua reflexão sobre esse fenômeno após o *Quintocento*.

Enfim, devia haver o interior que teria sido o apogeu monumental de uma Santa Maria de Cosmedin; a Capela dos Médici, em Florença, mostra em que escala teria sido realizada esta obra tão bem preestabelecida. Ora, papas inconscientes e inconsiderados despediram Michelangelo; infelizes mataram São Pedro por dentro e por fora; tornou-se estupidamente o São Pedro de hoje, de cardeal muito rico e empreendedor, sem... *tudo*. Perda imensa. Uma paixão, uma inteligência fora do comum, era uma afirmação; tornou-se tristemente um "talvez", um "aparentemente", um "pode ser que", um "tenho dúvidas sobre isso". Miserável fracasso.

Uma vez que esse capítulo é intitulado *Arquitetura*, seria permitido nele falar da paixão de um homem.

IV ROMA E NÓS

Roma é um pitoresco bazar ao ar livre. Há de todos os horrores (ver as quatros reproduções anexas) e o mau gosto da Renascença romana. Esta Renascença, nós a julgamos com nosso gosto moderno que dela nos separa por quatro grandes séculos de esforços, o XVII, o XVIII, o XIX, o XX.

Dispomos do benefício desse esforço, julgamos duramente, mas com uma clarividência motivada. Falta à Roma entorpecida após Michelangelo esses quatro séculos. Repondo o pé em Paris, retomamos consciência da escala.

A lição de Roma é para os sábios, aqueles que sabem e podem apreciar, aqueles que podem resistir, que podem controlar. Roma é a perdição daqueles que não sabem muito. Colocar em Roma estudantes de arquitetura é mutilá-los por toda vida. O Grande Prêmio de Roma e a Villa Médici são o câncer da arquitetura francesa.

Arquitetura
2. A Ilusão das Plantas

A planta procede de dentro para fora; o exterior é o resultado de um interior.

Os elementos arquiteturais são a luz e a sombra, a parede e o espaço.

A ordenação e a hierarquia dos fins, a classificação das intenções.

O homem vê os objetos da arquitetura com seus olhos que estão a 1,70 m do solo. Podemos contar somente com objetivos acessíveis ao olho, com intenções que mostram os elementos da arquitetura. Se contamos com intenções que não são da linguagem da arquitetura, atingimos a ilusão das plantas, transgredimos as regras da planta por uma ausência de concepção ou por inclinação para as vaidades.

Planta da cidade de Karlsruhe.

Fig. 1 —. Suleimanié em Istambul.

Utilizamos a pedra, a madeira, o cimento; com eles fazemos casas, palácios; é a construção. A engenhosidade trabalha.

Mas, de repente, você me interessa fortemente, você me faz bem, sou feliz, digo: é belo. Eis aí a arquitetura. A arte está aqui.

Minha casa é prática. Obrigado, assim como obrigado aos engenheiros das estradas de ferro e à Companhia Telefônica. Vocês não tocaram meu coração.

Mas as paredes se elevam no céu em uma ordem tal que fico comovido. Sinto suas intenções. Vocês eram delicados, brutais, encantadores ou dignos. Suas pedras mo dizem. Vocês me prendem a esse lugar e meus olhos contemplam. Meus olhos contemplam algo que enuncia um pensamento. Um pensamento que se ilumina sem palavras nem sons, porém unicamente com prismas que mantêm relações entre si. Esses prismas são tais que a luz os detalha claramente. Essas relações nada têm de necessariamente prático ou descritivo. São uma criação matemática de seu espírito. São a linguagem da arquitetura. Com materiais brutos, sobre um programa mais ou menos utilitário que vocês ultrapassam, vocês estabeleceram relações que me comoveram. É a arquitetura.

Fazer uma planta, é precisar, fixar idéias.

É ter tido idéias.

É ordenar essas idéias para que elas se tornem inteligíveis, executáveis e transmissíveis. É preciso então manifestar uma intenção precisa, ter tido idéias para ter podido se dar uma intenção. Uma planta é de alguma maneira algo concentrado como um índice analítico dos assuntos. Sob uma forma tão concentrada, onde ela aparece como um cristal, como uma épura geométrica, há uma enorme quantidade de idéias e uma intenção motriz.

Em um grande estabelecimento público, a Escola de Belas-Artes, estudou-se os princípios da boa planta, depois no curso dos anos, fixou-se dogmas, receitas, truques. Um ensino útil ao início, tornou-se uma prática perigosa. Da idéia interior, fez-se alguns signos consagrados exteriores, aspectos. A planta, feixe de idéias e intenção integrada nesse feixe de idéias, tornou-se um folha de papel onde pontos negros, que são as paredes e traços que são eixos,

Fig. 2 — Planta da Mesquita Verde em Brousse.

Fig. 2 **bis** — Santa Sofia de Constantinopla.

brincam de mosaico, de painel decorativo, formam gráficos com estrelas brilhantes, provocam a ilusão de óptica. A mais bela estrela torna-se Grande Prêmio de Roma. Ora, a planta é a geradora, "a planta é a determinação de tudo; é uma austera abstração, uma algebrização árida ao olhar". É um plano de batalha. A batalha prossegue e é o grande momento. A batalha é feita com o choque dos volumes no espaço e o moral da tropa é o feixe de idéias preexistentes e a intenção motora. Sem uma boa planta nada existe, tudo é frágil e não dura, tudo é pobre mesmo sob a aparência confusa da opulência.

A planta implica, desde o começo, procedimentos de construção; o arquiteto é de início engenheiro. Mas restrinjamos a questão à arquitetura, essa coisa que permanece através do tempo. Colocando-me exclusivamente deste ponto de vista, começarei chamando a atenção para esse fato capital: uma planta procede *do interior para o exterior,* porque a casa ou o palácio são um organismo semelhante a todo ser vivo. Falarei dos *elementos* arquiteturais do interior. Passarei à *ordenação.* Considerando o efeito de uma arquitetura em um local, mostrarei que ainda aqui o *exterior* é sempre um *interior.* Com as poucas bases com que o enunciado será esclarecido pelas figuras, poderei mostrar a *ilusão das plantas,* essa ilusão que mata a arquitetura, engana os espíritos e cria as desonestidades da arquitetura, pela transgressão das verdades irrecusáveis, conseqüência de falsas concepções ou fruto da vaidade.

Uma Planta Procede do Interior para o Exterior

Um edifício é como uma bolha de sabão. Esta bolha é perfeita e harmoniosa se o sopro é bem distribuído, bem regulado do interior. O exterior é o resultado de um interior.

Em Brousse, na Ásia Menor, na MESQUITA VERDE, penetra-se por uma pequena porta em escala humana; um pequeno vestíbulo opera em você a mudança de escala que é necessário para apreciar, depois das dimensões da rua e do lugar de onde você vem, as dimensões com que pretendem impressioná-lo. Então você sente a grandeza da mesquita e seus olhos medem. Você está em um grande espaço branco de mármore, inundado de luz. Além se apresenta um segundo espaço semelhante e com as mesmas dimensões, cheio de penumbra e elevado sobre alguns degraus (reprodução reduzida); de cada lado, dois espaços de penumbra ainda menores; você volta-se para o lado, dois pequeninos espaços de sombra. Da luz plena à sombra, um ritmo. Portas minúsculas e paredes bem vastas. Você está

Fig. 3 — Casa del Noce. O Caveidium, Pompéia.

Fig. 4 — Casa del Noce.

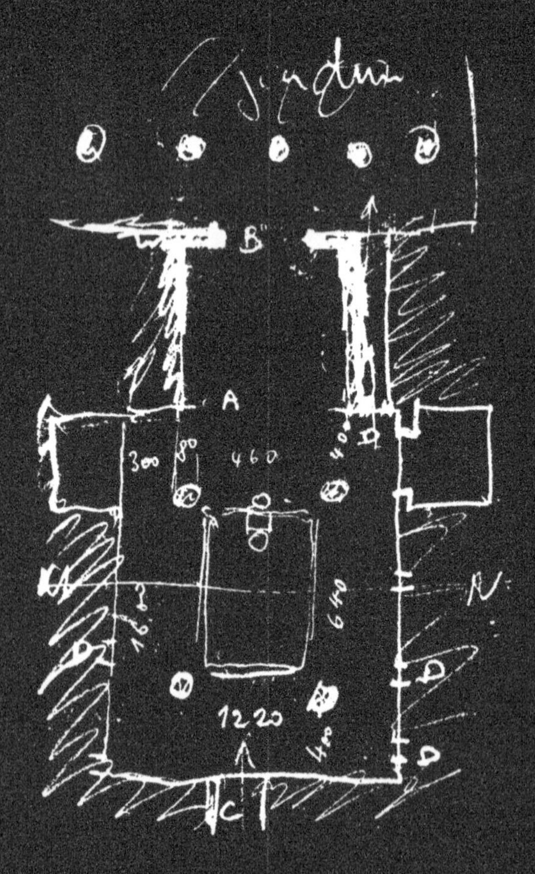

Fig. 5 — Villa Adriana, Roma

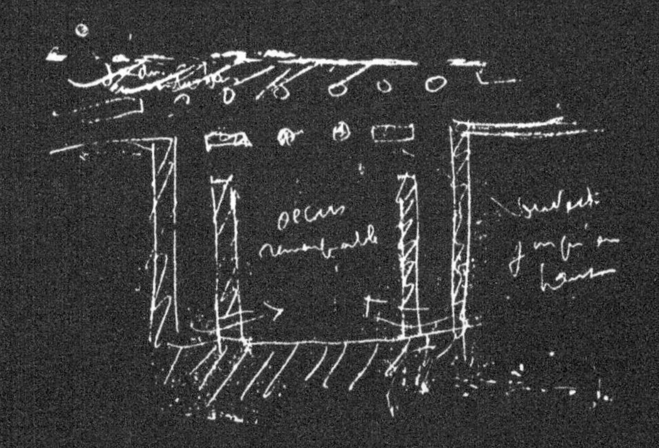

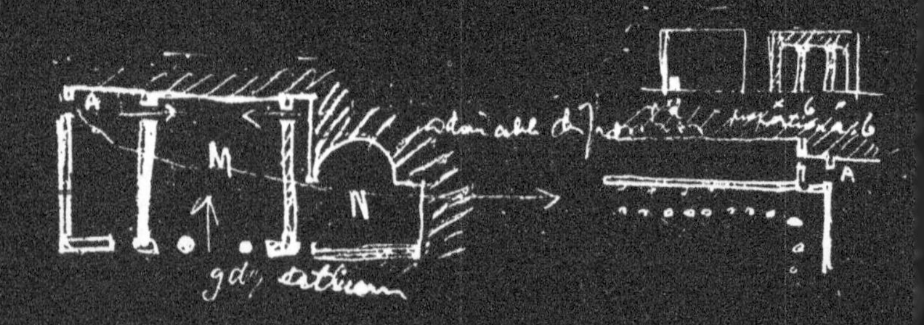

Fig. 6 — Villa Adriana, Roma.

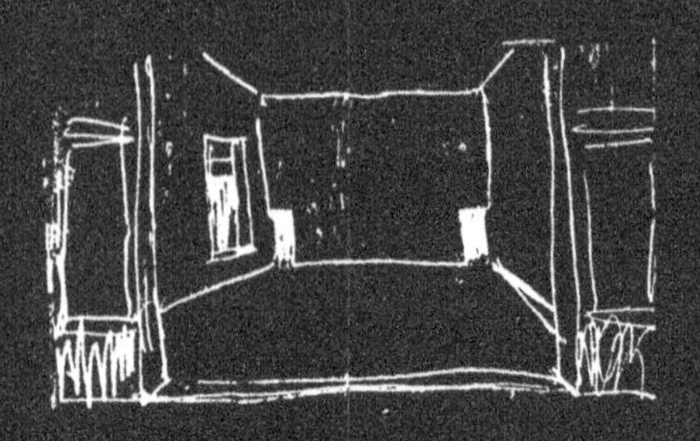

Fig. 7 — Pompéia.

preso, perdeu o sentido da escala comum. Você é levado por um ritmo sensorial (a luz e o volume) e por medidas próprias a um mundo em si que lhe diz aquilo que tinha a lhe dizer. Qual emoção, qual fé? Isto, é a intenção motriz. O feixe de idéias, são os meios que foram empregados (fig. 2). Conseqüências: em Brousse como em Santa Sofia de Constantinopla, como em Suleimanié de Istambul, o exterior resulta (fig. 1 e 2 *bis).*

Casa Del Noce, em Pompéia. Também o pequeno vestíbulo que elimina de seu espírito a rua. E eis você no Caveidium (átrio); quatro colunas no meio (quatro *cilindros*) elevam de um jato para a sombra do telhado, sensação de força e testemunho de meios potentes; porém ao fundo, o brilho do jardim visto através do peristilo que espalha com um largo gesto esta luz, a distribui, a assinala, se estendendo longe à esquerda e à direita, criando um grande espaço. Entre os dois, o *tablium* encerrando essa visão como a ocular de um aparelho. À direita, à esquerda, dois pequenos espaços de sombra. Da rua de todo mundo e fervilhante, cheia de acidentes pitorescos, você entrou na casa de *um romano.* A grandeza magistral, a ordem, a amplidão magnífica: você está na casa de *um romano.* Para que serviam essas peças? Está fora da questão. Após vinte séculos, sem alusões históricas, você sente a arquitetura e tudo isso é em realidade uma pequena casa (fig. 3 e 4).

Os Elementos Arquiteturais do Interior

Dispõe-se de paredes retas, de um solo que se estende, de cavidades que são passagens para homem ou para luz, portas ou janelas. As cavidades iluminam ou escurecem, tornam alegre ou triste. As paredes estão brilhando de luz ou em penumbra ou em sombra, tornam alegre, sereno ou triste. Sua sinfonia está arranjada. A arquitetura tem por fim tornar alegre ou sereno. Respeitem as paredes. O habitante de Pompéia não fura suas paredes; tem a devoção das paredes, o amor da luz. A luz é intensa se está entre paredes que a refletem. O antigo fazia paredes, paredes que se estendem e se unem para aumentar ainda a parede. Assim criava volumes, base da sensação arquitetural, sensação sensorial. A luz brilha em intenção formal em uma das extremidades e ilumina as paredes. A luz estende sua *impressão* ao exterior pelos cilindros (não gosto de dizer colunas, é uma palavra estragada), pelos peristilos ou pelos pilares. O piso se estende por toda parte onde pode, uniforme, sem acidente. Às vezes, para acrescentar uma impressão, o piso se eleva de um degrau. Não há outros elementos arquiteturais do interior; a

Fig. 8 — A Acrópole de Atenas.

Fig. 9 — Forum de Pompeia.

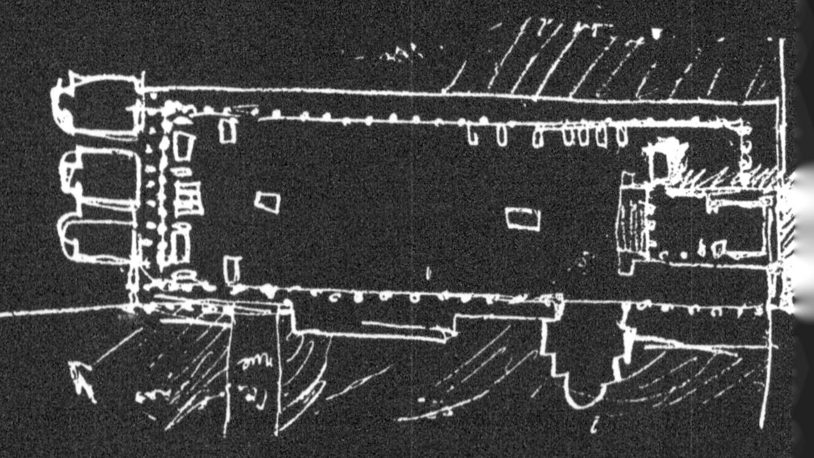

luz e as paredes que a refletem como um grande véu e o piso que é uma parede horizontal. Fazer paredes iluminadas, é constituir os elementos arquiteturais do interior. Fica a proporção (figs. 5, 6 e 7).

A Ordenação

O eixo é talvez a primeira manifestação humana; é o meio de todo ato humano. A criança que titubeia tende para o eixo, o homem que luta na tempestade da vida se traça um eixo. O eixo é o ordenador da arquitetura. Fazer ordem, é começar uma obra. A arquitetura se estabelece sobre eixos. Os eixos da Escola de Belas-Artes são a calamidade da arquitetura. O eixo é uma linha de conduta para um fim. Em arquitetura, é necessário um fim para o eixo. Na Escola esqueceu-se disso e os eixos se cruzam em estrelas, todos para o infinito, o indefinido, o desconhecido, o nada, sem fim. O eixo da Escola é uma receita, um truque*.

A ordenação é a hierarquia dos eixos, logo a hierarquia dos fins, a classificação das intenções.

Logo, o arquiteto confere fins a seus eixos. Esses fins, é a parede (o cheio, sensação sensorial) ou a luz, o espaço (sensação sensorial).

Na realidade, os eixos não se percebem do alto como o mostra a planta na prancheta de desenho, porém no solo, o homem estando de pé e olhando diante dele. O olho vê longe e, objetiva impertubável, vê tudo, mesmo para além das intenções e das vontades. O eixo da Acrópole vai do Pireu até o Pentélico, do mar à montanha. Dos Propileus, perpendicular ao eixo, ao longe no horizonte, o mar. Horizontal perpendicular à direção que lhe imprimiu a arquitetura onde você está, percepção ortogonal que deve ser levada em conta. Alta arquitetura: a Acrópole estende seus efeitos até o horizonte. Dos Propileus no outro sentido, a estátua de Atená, no eixo, e o Pentélico no fundo. Isso conta. E porque estão fora deste eixo violento, o Parthenon à direita e o Erecteion à esquerda, *você tem a oportunidade de vê-los* em três quartos, na sua fisionomia total. Não se deve pôr as coisas da arquitetura todas sobre eixos, porque seriam como pessoas que falam ao mesmo tempo (fig. 8).

FORUM DE POMPÉIA: A ordenação é a hierarquia dos fins, a classificação das intenções. A planta do Forum contém muitos eixos, porém não obterá jamais uma terceira medalha nas Belas-Artes; seria recusado, ele não faz a

(*) Trata-se efetivamente de um truque que se lhes desenha no papel para que eles façam a estrela, como o pavão faz a roda.

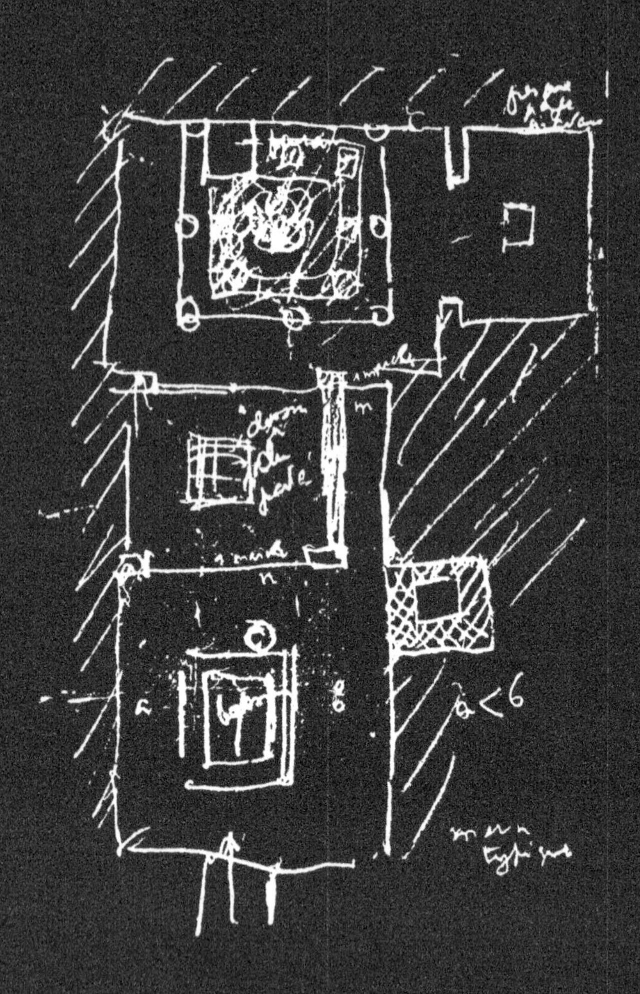

Fig. 10 — Casa do Poeta Trágico, Pompéia.

Fig. 11 — Propileus e Templo da Vitória Áptera.

Fig. 12 — Os Propileus.

Fig. 13 — Villa Adriana, Roma.

Fig. 14 — Villa Adriana, Roma.

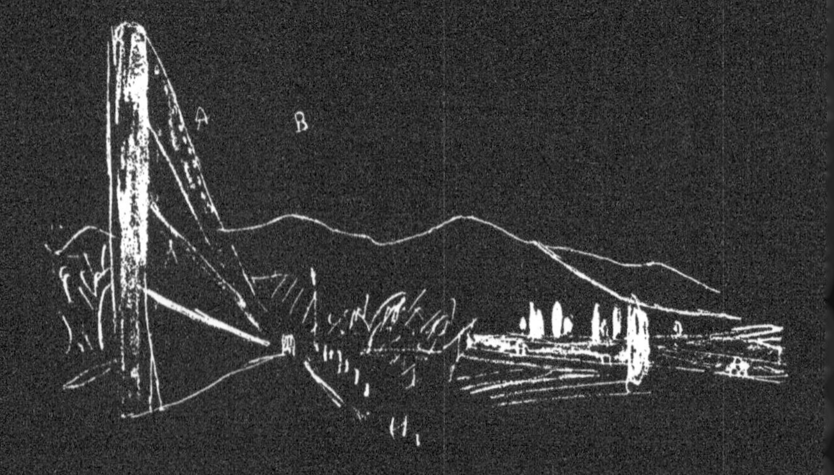

estrela! É uma alegria do espírito olhar uma tal planta, passear no Forum (fig. 9).

E eis aqui Na Casa Do Poeta Trágico as sutilezas de uma arte consumada. Tudo está num eixo mas você dificilmente passaria numa linha reta. O eixo está nas intenções e o fausto conferido pelo eixo se estende às coisas humildes que ele incorpora com um gesto hábil (os corredores, a passagem principal etc.), pelas ilusões de óptica. Aqui o eixo não é uma secura teórica; ele liga volumes capitais, nitidamente escritos e diferenciados uns dos outros. Quando você visita a Casa do Poeta Trágico, constata que tudo está em ordem. Mas a sensação é rica. Você observa então hábeis fugas dos eixos que dão intensidade aos volumes: o motivo central do piso foi projetado para trás do meio da peça; o poço da entrada está ao lado da bacia. A fonte, no fundo, está no ângulo do jardim. Um objeto colocado no centro de uma peça mata freqüentemente essa peça porque lhe impede de se colocar no centro da peça e de ter a visão axial; um monumento no meio de uma praça amiúde mata a praça e os edifícios que a ladeiam, — amiúde, mas não sempre; é um caso de espécie que tem cada vez suas razões.

A ordenação é a hierarquia dos eixos, logo a hierarquia dos fins, a classificação das intenções (fig. 10).

O Exterior É Sempre um Interior

Quando, na Escola, se traça eixos em estrela, imagina-se que o espectador chegando diante do edifício não é sensível mais que a esse edifício e que seu olho se volta para ele infalivelmente e fica exclusivamente fixado ao centro de gravidade que esses eixos determinariam. O olho humano, nas suas investigações, gira sempre e o homem também gira sempre à esquerda, à direita, pirueta. Ele se prende a tudo e é atraído pelo centro de gravidade da região inteira. De um só golpe o problema se estende aos arredores. As casas vizinhas, a montanha longínqua ou próxima, o horizonte baixo ou alto são massas formidáveis que agem com a potência de seu cubo. O cubo de aparência e o cubo real são instantaneamente avaliados, pressentidos pela inteligência. A sensação cubo é imediata, primordial; seu edifício cuba 100 000 metros cúbicos, mas o que está em torno cuba milhões de metros cúbicos, que é o que conta. Depois vem a sensação densidade: um morteiro, uma árvore, uma colina são menos fortes, de densidade mais fraca que uma disposição geométrica de formas. O mármore é mais denso ao olho

Fig. 15 — Forum de Pompéia.

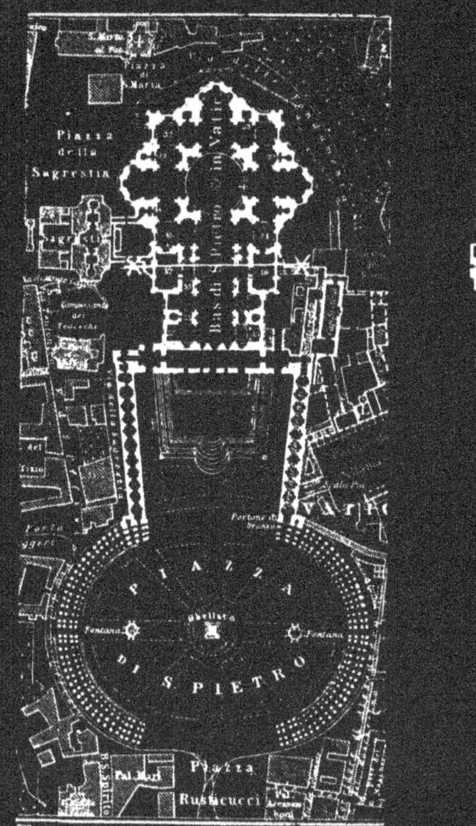

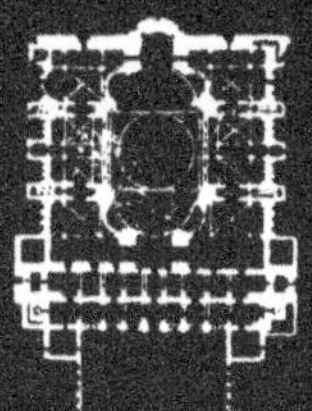

Fig. 16 — São Pedro de Roma.

O traço de lado a lado da terceira trave da basílica indica o local onde Michelangelo projetava sua fachada (ver a concepção de Michelangelo no capítulo precedente).

Fig. 17 — Versailles, conforme um desenho da época.

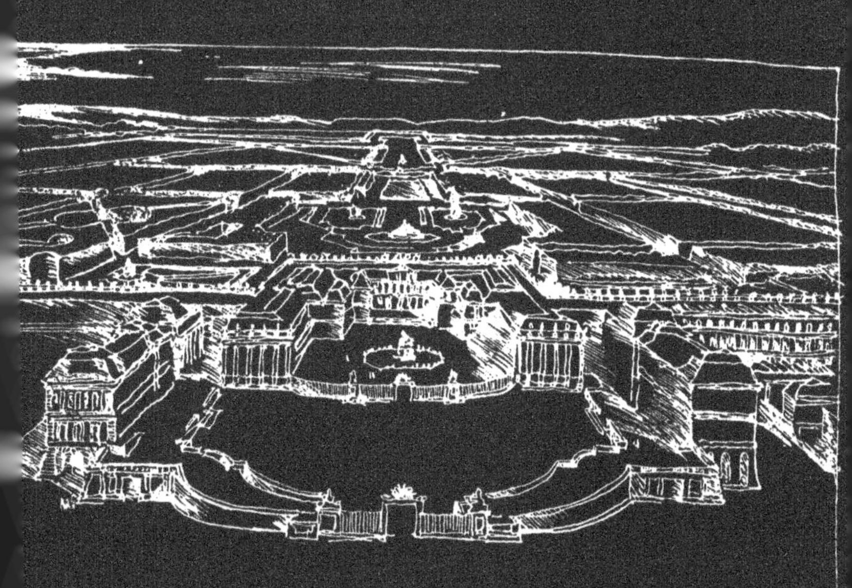

e ao espírito que a madeira e assim por diante. Hierarquia sempre.

Em resumo, nos espetáculos arquiteturais, os elementos do local intervêm em virtude de seu cubo, de sua densidade, da qualidade de sua matéria, portadores de sensações bem definidas e bem diferentes (madeira, mármore, árvore, grama, horizontes azuis, mar próximo ou longínquo, céu). Os elementos do local se elevam como paredes revestidas em potência com seu coeficiente "cubo", estratificação, matéria etc., como as paredes de uma sala. Paredes e luz, sombra ou luz, triste, alegre ou sereno etc. É necessário compor com esses elementos:

Na ACRÓPOLE DE ATENAS, os templos que se inclinam uns para os outros para constituir um ambiente que o olho abraça facilmente (fig. 11). O mar que compõe com as arquitraves (fig. 12) etc. Compor com os infinitos recursos de uma arte cheia de riquezas perigosas que somente criam belezas quando estão em ordem.

Na VILLA ADRIANA, pisos com os níveis estabelecidos em concordância com a planície romana (fig. 13); montanhas que apoiam a composição, aliás estabelecida a partir delas (fig. 14).

No FORUM DE POMPÉIA, com vistas de cada um dos edifícios sobre o conjunto, sobre determinado detalhe, agrupamento de interesses constantemente renovados (figs. 9 e 15).

Etc. Etc.

Transgressão

Naquilo que vou mostrar, não se levou em conta que uma planta age do interior para o exterior, não se compôs com volumes animados como um sopro único bem regulado, conforme a um objetivo que era a intenção motriz da obra, esse objetivo que cada qual poderia em seguida constatar com seus olhos. Não se contou com os elementos arquiteturais do interior que são superfícies que se juntam para receber a luz e revelar volumes. Não se pensou no espaço, mas se fez estrelas no papel, traçou-se eixos que faziam a estrela. Contou-se com intenções que não eram da linguagem da arquitetura. Transgrediu-se as regras da planta por um erro de concepção ou por uma inclinação para a vaidade.

SÃO PEDRO DE ROMA: Michelangelo fazia uma cúpula enorme superando tudo o que se tinha apresentado ao olho até então; passado o pórtico, estava-se sob a imensa cúpula. Porém os papas acrescentaram três traves na frente e um grande vestíbulo. A idéia é destruída. É necessário percorrer um túnel de 100 metros antes de chegar à cúpula; dois volumes equivalentes se combatem; o benefício da arquitetura é perdido (com a decoração de uma grosseira vaidade, o erro inicial é ampliado desmedidamente e São Pedro permanece um enigma para um arquiteto). Santa Sofia de Constantinopla triunfa com uma superfície de 7 000 metros quadrados, enquanto que São Pedro cobre 15 000 (fig. 16).

VERSAILLES: Luís XIV não é mais o sucessor de Luís XIII. É o REI-SOL. Imensa vaidade. Ao pé do trono, seus arquitetos lhe trazem plantas que vistas de cima parecem um mapa dos astros; eixos imensos, estrelas. O Rei-Sol se enche de orgulho; os gigantescos trabalhos são executados. Porém, um homem não tem mais que dois olhos a 1,70 m do solo, que fixam somente um ponto de cada vez. Os braços das estrelas são visíveis somente um após o outro e é uma reta sob uma copa frondosa. Uma reta não é uma estrela; as estrelas caem. E tudo assim por diante: a grande bacia, os jardins bordados que estão fora de uma vista de conjunto, os edifícios que só se vêem por fragmentos e se deslocando. É o engano, a ilusão. Luís XIV se enganou sob sua própria instigação. Transgrediu as verdades da arquitetura porque não procedeu com os elementos objetivos dela (fig. 17).

E um pequeno príncipe de grão-ducado, como tantos outros, cortesão da glória do Rei-Sol, traçou a cidade de KARLSRUHE que é o mais lamentável fracasso de uma intenção, o *knock-out* perfeito. Só resta a estrela no papel, magra consolação. Ilusão. Ilusão das belas plantas. De todos os cantos da cidade somente se vê três janelas do castelo e elas parecem sempre as mesmas; a mais humilde casa de aluguel teria feito o mesmo efeito. Do castelo, só se pode tomar uma única rua e todas as ruas de qualquer vila fazem um efeito semelhante. Vaidade das vaidades. Não se deve esquecer quando se traça uma planta que é o olho humano que constata seus efeitos (fig. *no início do capítulo*).

Quando se passa da construção para a arquitetura, é porque se tem uma intenção elevada. É preciso fugir da vaidade. A vaidade é a causa das vaidades da arquitetura.

Arquitetura
3. Pura Criação do Espírito

*A modenatura * é a pedra de toque do arquiteto.*

Este se revela artista ou simples engenheiro.

A modenatura é livre de qualquer coerção.

Não se trata mais nem de usos, nem de tradições, nem de procedimentos construtivos, nem de adaptações a necessidades utilitárias.

A modenatura é uma pura criação do espírito; ela exige o plástico.

(*) *Modenatura*: esse termo foi introduzido na literatura especializada em língua portugusa pelo professor arquiteto Lúcio COSTA. (N. do T.)

PARTHENON.

PARTHENON. — Elevaram-se sobre a Acrópole templos que constituem uma única concepção e que reuniram em torno deles a paisagem desolada e a submeteram à composição. Então, de todos os cantos do horizonte, o pensamento é único. É por isso que não existem outras obras da arquitetura que tenham esta grandeza. Podemos falar "dórico" quando o homem, pela elevação de suas vistas e pelo sacrifício completo do acidental, atingiu a região superior do espírito: a austeridade.
Pórtico interior dos Propileus. O sistema plástico se enuncia, na unidade.

Utilizamos a pedra, a madeira, o cimento; com eles fazemos casas, palácios; é a construção. A engenhosidade trabalha.

Mas, de repente, você me interessa fortemente, você me faz bem, sou feliz, digo: é belo. Eis aí a arquitetura. A arte está aqui.

Minha casa é prática. Obrigado, assim como obrigado aos engenheiros das estradas de ferro e à Companhia Telefônica. Vocês não tocaram meu coração.

Mas as paredes se elevam no céu em uma ordem tal que fico comovido. Sinto suas intenções. Vocês eram delicados, brutais, encantadores ou dignos. Suas pedras mo dizem. Vocês me prendem a esse lugar e meus olhos contemplam. Meus olhos contemplam algo que enuncia um pensamento. Um pensamento que se ilumina sem palavras nem sons, porém unicamente com prismas que mantêm relações entre si. Esses prismas são tais que a luz os detalha claramente. Essas relações nada têm de necessariamente prático ou descritivo. São uma criação matemática de seu espírito. São a linguagem da arquitetura. Com materiais brutos, sobre um programa mais ou menos utilitário que vocês ultrapassam, vocês estabeleceram relações que me comoveram. É a arquitetura.

O que distingue um belo rosto é a qualidade dos traços e um valor todo particular das relações que os unem. O tipo do rosto pertence a todo indivíduo: nariz, boca, testa etc., assim como uma proporção média entre esses elementos. Há milhões de rostos construídos com esses tipos essenciais; no entanto, todos são diferentes: variação da qualidade dos traços e variação das relações que os unem. Diz-se que um rosto é belo quando a precisão da modelagem e a disposição dos traços revelam proporções que *sentimos harmoniosas* porque provocam no fundo de nós mesmos, além dos nossos sentidos, uma ressonância, espécie de mesa de harmonia que se põe a vibrar. Indício do absoluto indefinível preexistente no fundo do nosso ser.

Essa mesa de harmonia que vibra em nós é nosso critério de harmonia. Deve ser esse eixo sobre o qual o homem está organizado em perfeito acordo com a natureza e, provavelmente, o universo, esse eixo de organização que deve ser o mesmo sobre o qual se alinham todos os fenômenos ou todos os objetos da natureza; este eixo nos leva a supor uma unidade de gestão no universo, a admitir uma vontade única na origem. As leis da física seriam consecutivas a esse eixo e se reconhecemos (e amamos) a ciência e suas obras

PARTHENON. — É preciso meter na cabeça que o dórico não cresce nas planícies com os asfódelos, e que é uma pura criação do espírito. Seu sistema plástico é tão puro que temos a sensação do natural. Mas cuidado, é uma obra total do homem, que nos dá a plena percepção de uma harmonia profunda. As formas são tão emancipadas dos aspectos da natureza (e que superioridade sobre o egípcio ou o gótico) elas são tão bem estudadas com razões de luz e de matérias, que aparecem como ligadas ao céu, como ligadas ao solo, naturalmente. Isso cria um fato tão natural ao nosso entendimento como o fato "mar" e o fato "montanha". Quais são as obras humanas que atingiram esse grau?

ERECTEION. — **Teve-se um enternecimento** e fez-se o jônico; **porém o Parthenon ditava suas formas às cariátides.**

PARTHENON. — Os exegetas poetas declaram que a coluna dórica é inspirada por uma árvore que emerge do solo, sem base etc. etc., prova de que toda bela forma de arte é tirada da natureza. Isso é mais que falso, pois a árvore com tronco reto é desconhecida na Grécia onde só crescem pinheiros mirrados e oliveiras contorcidas. **Os gregos criaram um sistema plástico acionando direta e poderosamente nossos sentidos**: colunas, estrias das colunas, entablamento complexo e pesado de intenções, degraus que contrastam e que ligam ao horizonte. Eles aplicaram as mais sábias deformações, adaptando impecavelmente a modenatura às leis da óptica.

PROPILEUS. — De que nasce a emoção? De uma certa relação entre elementos categóricos: cilindros, sólo polido, paredes polidas. De uma concordância com as coisas do local. De um sistema plástico que estende seus efeitos sobre cada parte da composição. De uma unidade de idéia indo da unidade de matérias até a unidade de modenaturas.

PROPILEUS. — A emoção nasce da unidade de intenção. Da firmeza impassível que talhou o mármore com a vontade de ir ao mais puro, ao mais decantado, ao mais econômico. Sacrificou-se, limpou-se, até o momento em que não era preciso eliminar mais nada, não deixar mais que essas coisas concisas e violentas, soando claro e trágico como trombetas de bronze.

é porque estas e aquelas nos permitem admitir que elas são prescritas por esta vontade primeira. Se os resultados do cálculo nos parecem satisfatórios e harmoniosos, é que eles vêm do eixo. Se, pelo cálculo, o avião toma o aspecto de um peixe, de um objeto da natureza, é porque reencontrou o eixo. Se a piroga, o instrumento de música, a turbina, resultados da experimentação e do cálculo, nos aparecem como fenômenos "organizados", isto é, portadores de uma certa vida, é porque estão alinhados sobre o eixo. Daí, uma possível definição da harmonia: momento de concordância com o eixo que está no homem, logo com as leis do universo — retorno à ordem geral. Isso daria uma explicação das causas de satisfação à vista de certos objetos, satisfação que reúne em cada instante uma unanimidade efetiva.

Se nos detemos diante do Parthenon, isto ocorre em função de que à sua vista a corda interna soa; o eixo é tocado. Não nos detemos diante da Madeleine, que compreende, como o Parthenon, degraus, colunas e frontões (mesmos elementos primários) porque para além das sensações brutas, a Madeleine não tocará nosso eixo; não sentimos a harmonia profunda, não somos paralisados por este reconhecimento.

Os objetos naturais e as obras produzidas pelo cálculo são formadas nitidamente, sua organização é sem ambigüidade. É porque *vemos bem,* que podemos ler, saber e sentir o acordo. Retenho: na obra de arte é preciso *formular claramente.*

Se os objetos naturais *vivem,* e se as obras do cálculo *giram* e fornecem trabalho, é que uma unidade de intenção motriz os anima. Retenho: é preciso uma unidade motriz à obra de arte.

Se os objetos naturais e as obras do cálculo fixam nossa atenção, despertam nosso interesse, é que eles têm, uns e outros, uma atitude fundamental que os caracteriza. Retenho: é preciso um caráter na obra de arte.

Formular nitidamente, animar com uma unidade a obra, dar-lhe uma atitude fundamental, um caráter: pura criação do espírito.

Admitímo-lo para a pintura e a música; mas rebaixamos a arquitetura às suas causas utilitárias: alcovas, w.c., aparelhos de calefação, cimento armado, ou abóbadas de berço ou arcos ogivais etc., etc. Isso é construção, não é arquitetura. A arquitetura existe quando há emoção poética. A arquitetura é assunto de plástica. A plástica é o que vemos e o que medimos com os olhos. É evidente que se o telhado

PARTHENON. — Eis aqui a máquina de comover. Entramos no implacável da mecânica. Não há símbolos associados a essas formas; elas provocam sensações categóricas; não é mais necessário uma chave para compreender. Do brutal, do intenso, do mais delicado, do sutil, do muito capaz. E quem encontrou a composição desses elementos? Um inventor genial. Essas pedras estavam inertes nas pedreiras do Pentélico, informes. Para agrupá-las assim, não era preciso ser engenheiro; era preciso ser um grande escultor.

Isso é uma moldagem magnífica em tamanho natural, que se encontra na Escola de Belas-Artes. A influência dos educadores é tal no cais Voltaire que o **Grand Palais** prevalece junto aos alunos.

escorregasse, que se a calefação não funcionasse, se as paredes rachassem, as alegrias da arquitetura seriam fortemente atrapalhadas; da mesma forma, um senhor que escutasse uma sinfonia sentado numa almofada de alfinetes ou na corrente de ar de uma porta.

Quase todos os períodos de arquitetura estiveram ligados a pesquisas construtivas. Concluiu-se amiúde: a arquitetura é a construção. Pode ser que o esforço fornecido pelos arquitetos tenha sido canalizado principalmente para os problemas construtivos de então, não é uma razão para confundir. É certo que o arquiteto deve possuir sua construção pelo menos tão exatamente quanto o pensador deve possuir sua gramática. Porém sendo a construção uma ciência bem mais difícil e complexa que a gramática, o arquiteto consagra a ela demorados esforços; porém não devem se limitar a isso.

A planta da casa, seu cubo e suas superfícies foram determinadas, em parte, pelos dados utilitários do problema e, em parte, pela imaginação, a criação plástica. Já na sua planta, e por conseguinte em tudo o que se eleva no espaço, o arquiteto foi plástico; disciplinou as reivindicações utilitárias em virtude de um objetivo plástico que perseguia; *ele compôs.*

Então chegou esse momento em que era preciso gravar *os traços do rosto.* Ele fez intervir a luz e a sombra em apoio daquilo que queria dizer. A modenatura interveio. E a modenatura está livre de qualquer imposição; é uma invenção total que torna um rosto radioso ou envelhecido. Pela modenatura se reconhece o plástico; o engenheiro se apaga, o escultor trabalha. A modenatura é a pedra de toque do arquiteto; com a modenatura ele é posto contra a parede: ser plástico ou não sê-lo. A arquitetura é o jogo sábio, correto e magnífico dos volumes sob a luz; a modenatura é, ainda e exclusivamente, o jogo sábio, correto e e magnífico dos volumes sob a luz. A modenatura despreza o homem prático, o homem ousado, o homem engenhoso; ela faz apelo ao plástico.

A Grécia e o Parthenon, na Grécia, marcaram o pináculo dessa pura criação do espírito: a modenatura.

Concebe-se que não se trata mais de usos, nem de tradições, nem de procedimentos construtivos, nem de adaptações a necessidades utilitárias. Trata-se da invenção pura, pessoal a tal ponto que ela é a de um único homem; Fídias fez o Parthenon, porque Ictinos e Calícrates, os arquitetos oficiais do Parthenon, fizeram outros templos dóricos que nos parecem frios e bastante indiferentes. A paixão, a generosi-

PARTHENON. — A fração de milímetro intervém. A curva é tão apropriada quanto a de um grande obus. Os anéis estão a 15 metros do solo, porém contam bem mais que os cestos de acanto do coríntio. O estado de espírito coríntio e o estado de espírito dórico são dois. Um fato mor cria um abismo entre eles.

A fração de milímetro intervém. Há muitos elementos de molduras, mas é classificado em favor da força. Deformações surpreendentes: os frisos se incurvam ou se inclinam sobre a vertical para se oferecer melhor aos olhos. Traços gravados definem, na penumbra, sombras que seriam indecisas.

PROPILEUS. — As coisas tornam-se precisas, as molduras se tendem, as relações se estabelecem entre os filetes do capitel, o ábaco e as platibandas da arquitrave.

PARTHENON. — Austeridade dos perfis. Moralidade dórica.

A Acrópole de Atenas

PARTHENON. — Toda essa mecânica da plástica é realizada sobre o mármore com o rigor que aprendemos a praticar na máquina. Impressão de aço perfurado e polido.

PARTHENON. — A coragem das molduras quadradas, austeridade, espírito altivo.

PARTHENON. — A coragem das molduras quadradas.

PARTHENON. — O tímpano do frontão é nu. O perfil da cornija é tenso como uma linha de engenheiro.

dade, a grandeza de alma, tantas virtudes que estão inscritas nas geometrias da modenatura, quantidades organizadas em relações precisas. O Parthenon, foi Fídias que o fez, Fídias o grande escultor.

Não existe nada de equivalente na arquitetura de toda a terra e de todos os tempos. É o momento mais agudo em que um homem, agitado pelos mais nobres pensamentos, cristalizou-os em uma plástica de luz e sombra. A modenatura do Parthenon é infalível, implacável. Seu rigor supera nossos hábitos e as possibilidades normais do homem. Aqui se fixa o mais puro testemunho da fisiologia das sensações e da especulação matemática que pode se prender a elas; os sentidos nos prendem; o espírito nos encanta; tocamos o eixo da harmonia. Não se trata de dogmas religiosos, de descrição simbólica, de figurações naturais: são formas puras dentro de relações precisas, exclusivamente.

Faz dois mil anos que aqueles que vêem o Parthenon sentem que há ali um momento decisivo da história da arquitetura.

Estamos diante de um momento decisivo. No período presente em que as artes tateiam e em que, por exemplo, a pintura, encontrando pouco a pouco as fórmulas de uma sadia expressão, choca tão violentamente o espectador, o Parthenon traz certezas: a emoção superior, de ordem matemática. A arte é a poesia: a emoção dos sentidos, a alegria do espírito que mede e aprecia, o reconhecimento de um princípio axial que afeta o fundo do nosso ser. A arte, é essa pura criação do espírito que nos mostra, em certos pináculos, o pináculo das *criações* que o homem é capaz de atingir. E o homem experimenta uma grande felicidade *ao sentir que cria.*

NOTA — Os clichês que ilustram esse capítulo provêm da obra *O Parthenon,* de Collignon, publicado pelas Edições Albert Morancé, 30 e 32, rue des Fleurus, Paris, e da obra *A Acrópole* em fase de publicação na mesma editora. Essas duas obras magníficas, documentos verdadeiramente precisos do Parthenon e da Acrópole, puderam ser realizadas graças ao talento do Senhor Frédéric Boissonas, fotógrafo, cuja perseverança, iniciativa e qualidades de plástico nos revelaram o principal das obras gregas da grande época.

Ford
Ford
Automobiles Ford
ALBERT
BORDEAUX
VUE EN COUPE D'UNE
10 HP CITROËN
VUE EN

Casas em Série

Uma grande época começa.

Um espírito novo existe.

A indústria, exuberante como um rio que rola para seu destino, nos traz os novos instrumentos adaptados a esta época nova animada de espírito novo.

A lei de economia gere imperativamente nossos atos e nossos pensamentos.

O problema da casa é um problema de época. O equilíbrio das sociedades hoje depende dele. A arquitetura tem como primeiro dever, em uma época de renovação, operar a revisão dos valores, a revisão dos elementos constitutivos da casa.

A série está baseada sobre a análise e a experimentação.

A grande indústria deve se ocupar da construção e estabelecer em série os elementos da casa.

É preciso criar o estado de espírito da série.

O estado de espírito de construir casas em série.

O estado de espírito de residir em casas em série.

O estado de espírito de conceber casas em série.

Se arrancarmos do coração e do espírito os conceitos imóveis da casa e se encararmos a questão, de um ponto de vista crítico e objetivo, chegaremos à casa-instrumento, casa em série, sadia (e moralmente também) e bela pela estética dos instrumentos de trabalho que acompanham nossa existência.

Bela também com toda animação que o sentido artista pode conferir a estes órgãos estritos e puros.

L. C. 1915. Grupo de casas em série sobre ossatura "Dominó". Em 1915, o preço dos aços e dos cimentos autorizava o emprego importante do cimento armado. Ossaturas rígidas eram entregues, por uma empresa, sobre seis dados previamente estabelecidos de níveis acima do solo. As paredes e as divisões internas não eram mais que um enchimento leve, podendo ser feito, sem mão--de-obra especializada, de taipa, de tijolos ou perpianhos de enchimento. A altura entre duas lajes era combinada com a das portas e das impostas, a das janelas, a dos armários, que obedeciam aos mesmos módulos. Contrariamente aos usos atuais, as peças de marcenaria fornecidas pelas fábricas eram colocadas antes das paredes, ditando automaticamente o alinhamento destas assim como o das divisões interiores; as paredes ou as divisões eram construídas em torno das peças de marcenaria e a casa podia ser construída totalmente por uma só corporação profissional: o pedreiro. Faltava instalar a tubulação. (Um dia próximo, poderemos empregar janelas bem mais aperfeiçoadas que as que dispomos atualmente.)

L. C. 1920. Casas em concreto líquido. Elas são derramadas do alto como encheríamos uma garrafa. A casa é construída em três dias. Sai da forma como uma peça de fundição. Mas a gente se revolta diante de técnicas tão "desenvoltas"; não se crê numa casa feita em três dias; é preciso um ano além de telhados pontiagudos, clarabóias e quartos em mansardas!

O programa acaba de ser fixado. Os Senhores Loucheur e Bonnevay pedem à Câmara uma lei decretando a construção de 500 000 alojamentos baratos. É uma circunstância excepcional nos anais da construção, circunstância que requer igualmente meios excepcionais.

Ora, tudo está por fazer; nada está pronto para a realização deste programa imenso. *O estado de espírito não existe.*

O estado de espírito de construir casas em série, o estado de espírito de residir em casas em série, o estado de espírito de conceber casas em série.

Tudo está por fazer; nada está pronto. A especialização apenas abordou o domínio da construção. Não há nem usinas, nem técnicos de especialização.

Porém num piscar de olhos, se nascesse o estado de espírito da série, tudo seria preparado rapidamente. Com efeito, em todos os ramos da construção, a indústria, potente como uma força natural, exuberante como um rio que rola para seu destino, tende cada vez mais a transformar os materiais brutos naturais e a produzir o que se chama "materiais novos". Eles são legião: cimento e cal, ferros perfilados, cerâmica, materiais isolantes, canos, utensílios metálicos, produtos impermeáveis etc., etc. Tudo isso, por enquanto, chega desordenadamente nos edifícios em construção, se ajusta neles de improviso, custa uma mão-de-obra enorme, fornece soluções bastardas. É que os diversos objetos da construção não foram seriados. É que não existindo o estado de espírito, ninguém se entregou ao estudo racional dos objetos e menos ainda ao estudo racional da própria construção; o estado de espírito da série é detestável para os arquitetos e para os habitantes (por contágio e persuasão). Imaginem: chega-se justamente, e cansadíssimo, ao r-e-g-i-o-n-a-l-i-s-m-o! Ufa! E o mais cômico, é a devastação das regiões invadidas a que isso nos conduz. Diante da imensa tarefa de reconstruir tudo, cada um foi à sua panóplia arrancar sua flauta de Pã, e cada um a toca, tanto nos comitês como nas comissões. Depois se vota resoluções. Esta por exemplo que merece ser citada: fazer pressão sobre a Companhia da Estrada de Ferro do Norte para obrigá-la a construir na linha Paris-Dieppe trinta estações de estilos diferentes, porque as trinta estações por que passam os trens expressos têm cada qual uma colina e uma macieira que lhe pertencem e que constituem seu caráter, sua alma etc. Fatal flauta de Pã!

Os primeiros efeitos da evolução industrial na "construção" manifesta-se através dessa etapa primordial: a subs-

L. C. 1915. Casa "Dominó". O procedimento construtivo é aplicado aqui a uma casa de senhor que é concebida ao preço do cubo da simples casa operária. Os recursos arquiteturais do procedimento construtivo autorizam disposições largas e ritmadas e permitem fazer verdadeira arquitetura. É aqui que o princípio da casa em série mostra seu valor moral: um certo laço comum entre a habitação do rico e a do pobre, uma decência na habitação do rico.

Casa "Dominó". Alojamento e alpendre. Nada de paredes de sustentação; as janelas dão a volta na casa.

Loteamento "Dominó".

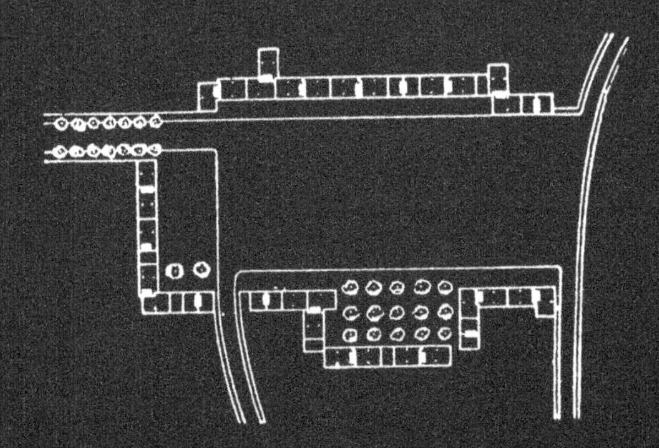

L. C. 1922. Casa de artista; ossatura de cimento armado e paredes em dupla separação de **cement-gun** * de 4 centímetros de espessura cada uma. Se fixar nitidamente o problema; determinar as necessidades-tipo de um alojamento; resolver a questão como são resolvidos os vagões, as ferramentas etc.

L. C. 1915. Interior de uma casa "Dominó". Janelas em série, portas em série, armários embutidos em série; ajusta-se dois, quatro, doze elementos de janelas; uma porta com uma imposta, ou duas portas com duas impostas ou ainda duas portas sem impostas etc., armários embutidos com o alto envidraçado e gavetas em baixo formando bibliotecas, cômodas, **buffets** de serviço etc. Todos esses elementos, que são fornecidos pela grande indústria, são estabelecidos sobre um módulo comum; eles se adaptam uns contra os outros exatamente. A ossatura da casa tendo sido fundida, eles são justapostos uns contra os outros no edifício vazio mantendo-os provisoriamente com ripas: preenche-se os vazios com ladrilhos de gesso, com tijolos ou com ripados; executa-se de trás para diante operações habituais e ganha-se meses. Ganha-se também uma unidade arquitetural de uma importância capital e com o módulo a proporção penetra por si mesma na casa.

tituição dos materiais naturais pelos materiais artificiais, dos materiais heterogêneos e duvidosos pelos materiais artificiais homogêneos e provados por ensaios de laboratórios e produzidos com elementos fixos. O material fixo deve substituir o material natural, variável ao infinito.

Por outro lado, a lei de economia reclama seus direitos: os ferros perfilados e, mais recentemente, o cimento armado são puras manifestações de cálculo, empregando a matéria de maneira total e exata; enquanto que a antiga viga de madeira encerra talvez algum nó traiçoeiro e sua preparação conduz a uma considerável perda de matéria.

Enfim, os técnicos falaram em certas áreas. Os serviços de água, de iluminação estão em rápida evolução; a calefação central levou em consideração a estrutura das paredes e das janelas — superfícies de esfriamento — e, em conseqüência, a pedra, a boa pedra natural em paredes de um metro de espessura foi superada por leves paredes duplas feitas com escória de ferro, e assim por diante. Entidades, quase divindades, decaíram: os telhados que não necessitam mais ser pontiagudos para evacuar a água, os grandes e tão belos parapeitos de janelas que nos aborrecem porque apertam e nos tomam a luz; as madeiras maciças, espessas à vontade, eternamente sólidas, mas nem tanto, a ponto de estalar e se fender diante de um radiador de calefação, enquanto que um compensado de 3 milímetros de espessura fica intato etc.

Nos belos dias de antanho, via-se (e isso dura até hoje, ai de mim) enormes cavalos que conduziam às obras enormes pedras, e muitos homens para descê-las de cima da carroça, para cortá-las, talhá-las, içá-las aos andaimes, ajustá-las verificando longamente, com a régua na mão, suas seis faces; uma casa se construía em dois anos; hoje elevam-se edifícios em alguns meses; o P.-O. acaba de terminar seu imenso frigorífico de Tolbiac. Não entraram nessa obra mais que grãos de areia e de escumalho, do tamanho de avelãs; as paredes são delgadas como membranas; há nesse edifício cargas enormes. Paredes delgadas para proteger contra as diferenças de temperatura e separação de 11 centímetros malgrado as cargas enormes. As coisas mudaram muito!

A crise dos transportes manifestava suas conseqüências; percebeu-se que as casas representavam uma tonelagem formidável. Se se diminuísse essa tonelagem de quatro quintos? Eis aí um estado de espírito moderno.

A guerra sacudiu os entorpecimentos; falou-se de taylorismo; ele foi praticado. Os empresários compraram máquinas, engenhosas, pacientes e ágeis. As obras logo se tornarão fábricas? Fala-se de casas que seriam derramadas do alto com concreto líquido, em um dia, como seria enchida uma garrafa.

E passo a passo, depois de se ter produzido nas fábricas tantos canhões, aviões, caminhões, vagões, dizemo-nos: Não se poderia fabricar casas? Eis aí um estado de espírito completamente atual. Nada está pronto, porém tudo pode ser feito. Nos próximos vinte anos a indústria terá agrupado os materiais fixos, semelhantes àqueles da metalurgia; a técnica terá levado bem além daquilo que conhecemos a calefação, a iluminação e os modos de estrutura racional. As construções não serão mais eclosões esporádicas em que todos os problemas se complicam ao se acumular; a organização financeira e social resolverá, com poderosos e acertados métodos, o problema da habitação, e as construções serão imensas, geridas e exploradas como administrações. Os loteamentos urbanos e suburbanos serão vastos e ortogonais e não mais desesperadamente disformes; permitirão o emprego do elemento de série e a industrialização da construção. Cessaremos talvez enfim de construir "sob medidas". A fatal evolução social terá transformado as relações entre locatários e proprietários, terá modificado as concepções da habitação e as cidades serão ordenadas em lugar de serem caóticas. A casa não será mais essa coisa espessa que pretende desafiar os séculos e que é o objeto opulento através do qual se manifesta a riqueza; ela será um instrumento, da mesma forma que o é o automóvel. A casa não será mais uma entidade arcaica, pesadamente enraizada no solo pelas profundas fundações, construída em "duro" e à devoção da qual se instaurou desde muito tempo o culto da família, da raça etc.

Se arrancamos do coração e do espírito os conceitos imóveis da casa, e se encaramos a questão de um ponto de vista crítico e objetivo, chegaremos à casa-instrumento, casa em série acessível a todos, incomparavelmente mais sadia que a antiga (e moralmente também) e bela pela estética dos instrumentos de trabalho que acompanham nossa existência.

Ela também será bela pela animação que um sentido artístico pode conferir a seus órgãos estritos e puros.

Mas é preciso criar o estado de espírito de residir em casas em série.

Cada um sonha legitimamente em se abrigar e em preservar a segurança do seu alojamento. Como é impossível no estado atual, esse sonho, considerado irrealizável, provoca uma verdadeira histeria sentimental; fazer sua casa, é quase como fazer seu testamento... Quando fizer minha casa... colocarei minha estátua no vestíbulo e meu pequeno cão Ketty terá seu salão. Quando tiver meu teto, etc. Tema para um médico neurologista. Quando chegar a hora de construir essa casa, não é a hora do pedreiro nem do técnico, é a hora em que todo homem faz pelo menos um poema na sua vida. Então temos, há quarenta anos, na cidades e periferias não casas, porém poemas, o poema do verão de Saint-Martin, porque uma casa é o coroamento de uma carreira... esse momento preciso em que se é bastante velho e deslustrado pela existência para ser a presa dos reumatismos e da morte... e das idéias grotescas.

Questão atual:

Tenho 40 anos, por que não compraria uma casa? Por que preciso desse instrumento? Uma casa como o Ford que comprei (ou meu Citroen, pois que sou *snob*).

Colaboradores devotados: a grande indústria, as fábricas especializadas.

Colaboradores a suscitar: as estradas de ferro dos subúrbios, as organizações financeiras, a Escola de Belas-Artes transformada.

O objetivo: a casa em série.

Coalizão: os arquitetos e os estetas, o culto imortal da casa.

Os realizadores: as empresas e os verdadeiros arquitetos.

A prova dos nove: 1.º o Salão da aviação; 2.º as cidades de arte célebres (Procuraties, rua de Rivoli, praça dos Vosges, a Carrière, o palácio de Versailles etc.; *série*). Porque a casa em série implica traçados automaticamente amplos e grandes. Porque a casa em série necessita o estudo aprofundado de todos os objetos da casa e a busca do padrão, do tipo. Quando o tipo é criado, estamos às portas do belo (o automóvel, o transatlântico, o vagão, o avião). Porque a casa em série imporá a unidade dos elementos, janelas, portas, procedimentos construtivos, matérias. *Unidade de detalhes e grandes traçados de conjunto,* eis o que, no século de Luís XIV, numa Paris compósita, congestionada, inextricável, inabitável, reclamava um abade muito inteligente, Laugier, que se interessava por urbanismo: *Uniformidade no detalhe, tumulto no conjunto* (o contrário do que fazemos: uma louca variedade dos detalhes e uma uniformidade morna dos traçados das ruas e das cidades).

Conclusão: trata-se de um problema de época. Mais ainda, do problema da época. O equilíbrio da sociedade é uma questão de construção. Concluimos com esse dilema defensável: *arquitetura ou revolução.*

L. C. 1922. Casa operária em série. Um loteamento bem feito, a mesma casa pode se apresentar sob diversos ângulos. Quatro colunas de cimento; as paredes em **cement-gun**. * Estética? A arquitetura é assunto de plástica, não de romantismo.

L. C. 1919. Casas em concreto grosso. O terreno era formado de camadas de cascalho. Uma pedreira é instalada diretamente no solo; o cascalho é derramado com a cal em uma armação de 40 centímetros de espessura; os pisos em cimento armado. Uma estética especial nasce diretamente do procedimento. Em função da economia, uma obra moderna exige o emprego exclusivo da reta; a reta é a grande aquisição da arquitetura moderna, e isso é um benefício. É preciso limpar de nossos espíritos as aranhas românticas.

L. C. 1921. Casas em série "Citrohan" (para não dizer Citroën).

Em outras palavras, uma casa como um automóvel, concebida e organizada como um ônibus ou uma cabine de navio. As necessidades atuais da habitação podem ser precisadas e exigem uma solução. É preciso agir contra a antiga casa que usava mal o espaço. É preciso (necessidade atual: preço de custo) considerar a casa como uma máquina de morar ou como uma ferramenta.

Quando se cria uma indústria, compra-se o equipamento; quando se estabelece um lar, aluga-se atualmente apartamentos imbecis.

Até agora fazia-se de uma casa um agrupamento incoerente de inúmeras grandes salas; nas salas havia sempre espaço demais e sempre espaço de menos. Hoje, felizmente, não se tem mais bastante dinheiro para perpetuar esses usos e como não se quer considerar o problema sob seu verdadeiro aspecto (máquina de morar) não se pode construir nas cidades, advindo uma crise desastrosa; com os orçamentos poder-se-ia construir edifícios admiravelmente organizados, sob a condição, evidentemente, que o locatário modifique sua mentalidade; aliás ele obedecerá sob a pressão da necessidade. As janelas, as portas devem ter suas dimensões retificadas; os vagões, as limusines, nos provaram que o homem passa por aberturas estreitas e que podemos calcular o espaço em centímetros quadrados; é criminoso construir w.c. de quatro metros quadrados. O preço do edifício tendo quadruplicado, é preciso reduzir pela metade tanto as antigas pretensões arquitetudrais e quanto, pelo menos, o cubo das casas; é doravante um problema de técnico, apela-se para as descobertas da indústria; modifica-se totalmente seu estado de espírito. A beleza? Ela existe sempre onde houver intenção e os meios **que são a proporção**; a proporção não custa nada ao proprietário, mas somente ao arquiteto.

O coração só será tocado se a razão estiver satisfeita e isto pode ocorrer quando as coisas são calculadas. Não se deve ter vergonha de morar numa casa sem telhado pontiagudo, de possuir paredes lisas como folhas de zinco, janelas semelhantes aos caixilhos das fábricas. Porém, o que pode nos deixar orgulhoso é ter uma casa prática como sua máquina de escrever.

L. C., 1922. Casa em série, 72m². Ossatura de cimento, **cement--gun***. Uma grande sala de 9x5; uma cozinha, um quarto de empregada; um quarto de dormir, banheiro, alcova; dois quartos de dormir, um **solarium.**

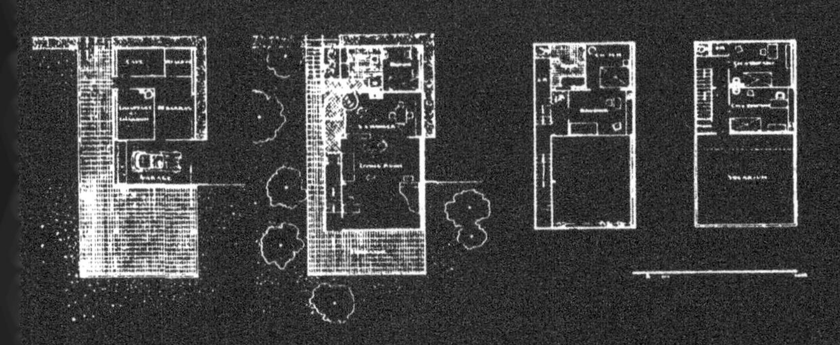

L. C. 1921. Casa "Citrohan". Ossatura em placas de concreto fundidas no momento e levantadas com o guindaste. Paredes em forma de membranas de 3 centímetros em cimento projetado sobre folha de zinco estendida deixando um vazio de 20 centímetros; as lajes dos pisos sobre o mesmo módulo; caixilhos de janelas fabricados em série com aberturas úteis sobre o mesmo módulo. A disposição dos lugares, conforme a utilização por uma família; a iluminação abundante conforme a destinação das peças; as necessidades de higiene favorecidas, os domésticos cuidados com respeito.

L. C. 1919. Casa "Monol". Crise dos transportes: a casa ordinária pesa demais: tijolos, esquadrias, cimentos, lajes de pisos, telhas, vigas representam formidáveis comboios de vagões rodando nas terras da França.

O problema da casa fabricada é colocado. Princípio construtivo; células de cimento-amianto em placas dobradas de 7 milímetros de espessura, formando fundações de 1 metro de altura que se preenche com materiais grosseiros, seixos, cascalho, materiais de demolição etc., encontrados no local, ligeiramente colados com um leite de cal e deixando entre eles grandes orifícios que conferem às paredes um importante coeficiente isolante; os tetos e pisos são feitos de folhas onduladas cintradas (arco bem tendido) de cimento-amianto que constitui uma forma que recebe uma camada de concreto de alguns centímetros. As folhas cintradas ficam e constituem um revestimento isolante definitivo.

As esquadrias, janelas e portas, são ajustadas ao mesmo tempo que as células de cimento-amianto. A casa foi feita por uma só corporação profissional e só necessitou transporte para uma dupla armação de cimento e amianto de 7 milímetros.

L. C. Casa "Monol". Quando se fala de casas em série, é preciso falar de loteamento. A unidade dos elementos construtivos é uma garantia de beleza. A diversidade necessária a um conjunto arquitetural é fornecida pelo loteamento que conduz às grandes ordenações, aos verdadeiros ritmos da arquitetura. Um conjunto bem loteado e construído em série daria uma impressão de calma, de ordem e limpeza, imporia faltamente a disciplina aos habitantes; a América nos mostra o exemplo da supressão dos muros de separação graças a esse estado de espírito novo criado lá pelo respeito pela propriedade de outrem; os subúrbios com isso receberiam uma impressão de espaço, porque tendo desaparecido o muro de separação, tudo ganha em sol e em claridade.

L. C. Interior de uma casa "Monol", transformada em um alojamento confortável. Se as pessoas cultas soubessem que podemos construir em série alojamentos de uma perfeita harmonia, custando mais barato que seu apartamento da cidade, elas fariam pressão sobre as Estradas de Ferro do Estado para fazer cessar o espetáculo vergonhoso dos trens de subúrbios da estação Saint-Lazaire; fariam como os berlinenses e assim seria perfeito. Poder-se-ia então usar desses imensos terrenos da periferia. A casa em série autorizaria precisamente as soluções mais práticas e de uma **estética pura.** Mas é preciso esperar o despertar das Companhias de Estradas de Ferro e o despertar da grande indústria que deve fornecer os elementos de série.

Salão da casa, à beira-mar. As vigas com seção constante, as abóbadas chatas dos forros, os elementos padrões das janelas, os cheios e os vazios constituem os elementos arquiteturais da construção.

L. C. 1921. Casa à beira-mar construída com elementos de série: colunas de concreto armado de 5 em 5 metros nos dois sentidos; os forros em abóbadas chatas de cimento armado. Nessa ossatura análoga a todas as dos edifícios industriais, a planta se dispõe facilmente, por divisões leves. O preço de custo é o mais baixo entre aqueles da construção em geral.

A estética ganha com isso uma unidade modular de primeira importância. A economia realizada sobre uma construção complicada permite se estender mais em superfície e em volume. As divisões leves podem ser deslocadas em seguida e a planta pode ser transformada facilmente.

Planta da casa, mostrando as vigas espaçadas regularmente.

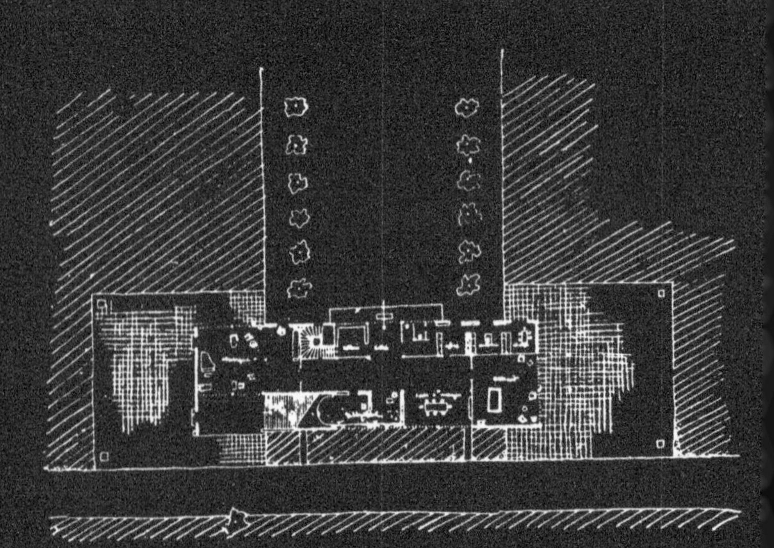

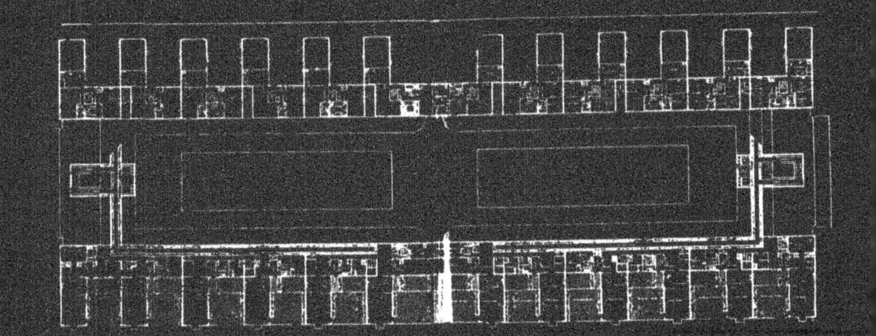

"Edifícios-casa": 120 casas superpostas.

Planta do andar-tipo das casas.

Ao nível da rua: grande **hall** de entrada; nos andares: grande escada e corredor principal.

Planta do andar térreo das casas: o pontilhado cinza indica os jardins suspensos.

L. C. 1922. Grande edifício de aluguel. Os desenhos a seguir mostram a disposição de um grupo de cem casas superpostas em cinco alturas, casas de dois andares possuindo cada uma seu jardim. Uma organização hoteleira gere os serviços do edifício e dá solução à crise dos domésticos (crise que está nos seus começos e é um fato social inevitável). A tecnicidade moderna aplicada a uma empresa tão importante substitui a fadiga humana pela máquina e pela organização:

"Edifício-casas": construção em série com colunas e lajes. Paredes em dupla separação.

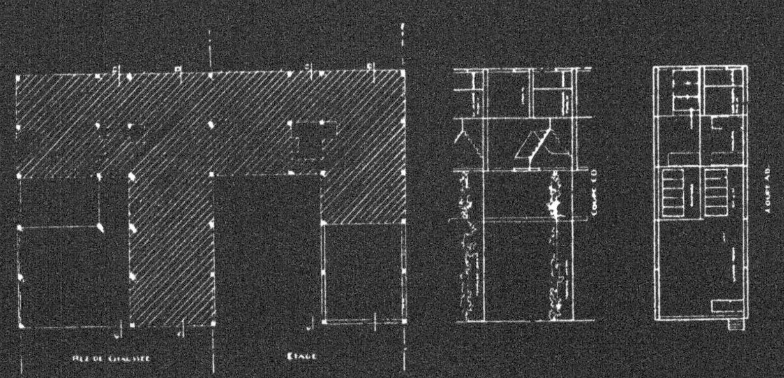

"Edifício-casas"; fragmento de fachada. Cada jardim rigorosamente independente do vizinho.

A água quente, a calefação central, a refrigeração, o vácuo, a esterilização da água etc. Os domesticos não são mais presos forçosamente a uma casa: eles vêm aqui, como vão à fábrica fazer suas oito horas e um pessoal alerta está à disposição dia e noite. O abastecimento em alimentos crus e cozidos é feito por um serviço de compra que conduz à qualidade e à economia. Uma vasta cozinha alimenta à vontade as casas ou um restaurante comum. Cada casa comporta uma sala de esporte, mas sobre o teto se acha uma grande sala comum de esporte e uma pista de 300 metros. Sobre o teto, ainda, uma sala de festas à disposição dos habitantes. A habitual entrada estreita da casa com o fatídico cubículo do zelador é substituída por um vasto **hall;** um porteiro recebe aí dia e noite os visitantes e os dirige para os elevadores.

No grande pátio aberto, sobre o teto das garagens subterrâneas, quadras de tênis. Árvores, flores em torno do pátio, e em torno da rua nos jardins das casas. Em todos os andares, trepadeiras e flores nos jardins suspensos. Aqui o "Padrão" afirma seus direitos.

As casas representam o tipo de organização racional e sensato, desprovido de toda ênfase, porém suficiente e prático. Pelo sistema de aluguel-venda *, os velhos sistemas caducos de propriedade não existem mais.

Não se paga aluguel, possui-se um capital ação que se desembolsa em vinte anos e cujos juros representam um aluguel ínfimo.

A **série** mais que em nenhuma outra parte se impõe na empresa de grande imóvel de aluguel: **barato.** E o **espírito de série** traz benefícios múltiplos e inesperados em um período de crise social: **economia doméstica.**

"Edifício-casas": um jardim suspenso.

"Edifício-casas": vista de uma sala de jantar (pela janela da direita, o jardim suspenso).

Hall de entrada do "edifício-casas".

A primeira edição deste livro tocou vivamente um grande industrial de Bordeaux. Decidiu fazer tábula rasa dos usos e hábitos. Uma alta concepção das coisas da indústria e dos destinos da arquitetura incitaram esse industrial a tomar as iniciativas mais corajosas. Pela primeira vez, talvez, na França, graças a ele, o problema atual da arquitetura é resolvido em um espírito conforme com a época. Economia, sociologia, estética: é uma realização nova com meios novos.

LE CORBUSIER E PIERRE JEANNERET, 1924.

Isso é uma das células do "edifício-casa". (Ver páginas precedentes.) É também o **Pavilhão do Espírito Novo** na Exposição Internacional das Artes Decorativas de Paris, 1925. Casa de Série, **para um homem comum,** padrões arquiteturais, construção inteiramente industrial.

A alvenaria, feita por G. SUMMER, empresário de alvenaria, com o emprego do **cement-gun** de INGERSOLL-RAND, aplicado sobre a SOLOMITE (palha comprimida); os forros e terraços **idem.** A armadura dos forros assim como as janelas de série do Senhor RAUL DECOURT, engenheiro construtor. As peças de madeira são totalmente suprimidas; **o carpinteiro não vem mais na construção:** os ESTABELECIMENTOS U. P. REUNIDOS da Tcheco-Eslováquia executaram os elementos-tipo que convêm a cada quarto e são montados como os arquivos de escritórios. Vidraria e Pintura: RUHLMAN e LAURENT.

"Novos bairros Frugès", em Bordeaux.
Um primeiro grupo e construção.

Loteamentos em "alvéolos" para cidades-jardim.

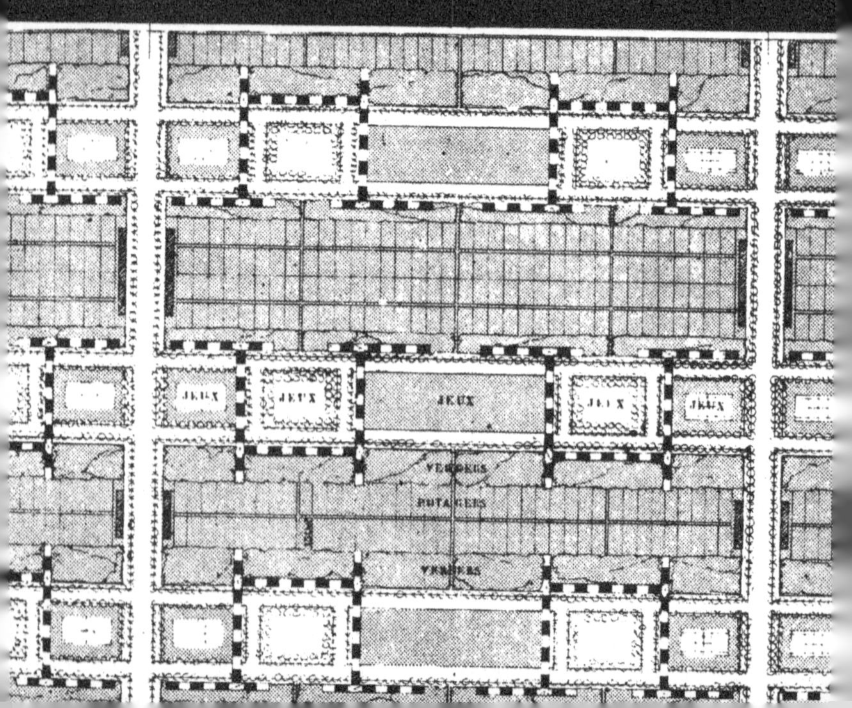

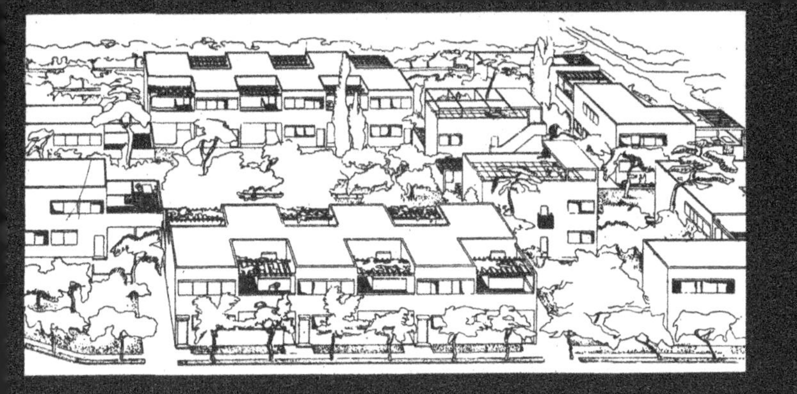

1924. Bordeaux-Pessac. "Bairros Modernos Frugés".

Fragmento de um grande loteamento construído com o canhão de cimento. Um tipo de elemento foi minuciosamente fixado, e se multiplica com as combinações mais variadas. É uma verdadeira industrialização da construção.

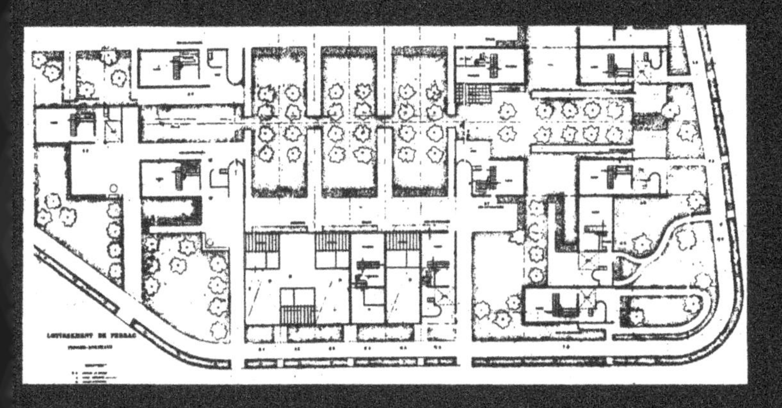

Analisemos os 400 m² de terreno consagrado a cada habitante de uma cidade-jardim: casa e dependências, 50 a 100 m²; 300 m² são consagrados aos gramados, pomar, horta, terreno florido, esplanada. Manutenção absorvente, custosa, penosa; lucro: alguns feixes de cenouras e um cesto de peras. Não há terrenos de jogos; as crianças, os homens e as mulheres não podem jogar, não podem fazer esporte. O esporte deve poder fazer a qualquer hora e todos os dias, e deve ser praticado ao pé da casa e nao sobre os terrenos dos estádios onde só vão os profissionais e os ociosos. Ponhamos o problema mais logicamente: casa 50 m²; jardim 50 m² (esse jardim e essa casa estão situados no andar térreo ou a 6 a 12 metros acima do solo, em agrupamentos ditos de "álveolos"). Junto às casas, vastos terrenos de jogos (futebol, tênis etc.) na média de 150 m² por casa. Diante das casas (na razão de 150 m² por casa), os terrenos de cultura industrializada, cultura intensiva de grande rendimento (regadura por canalização, lavra por um lavrador, vagonetes para adubos e transporte de terras e de produtos etc.). Um lavrador assegura a vigilância e a gestão de um agrupamento. Depósitos abrigam o produto das culturas. A mão-de-obra agrícola abandona os campos; com os três 8, o operário aqui torna-se agricultor e produz uma parte importante dos objetos de seu consumo. Arquitetura, urbanismo? O estudo lógico da célula e de suas funções relativas ao conjunto fornece uma solução rica de conseqüências.

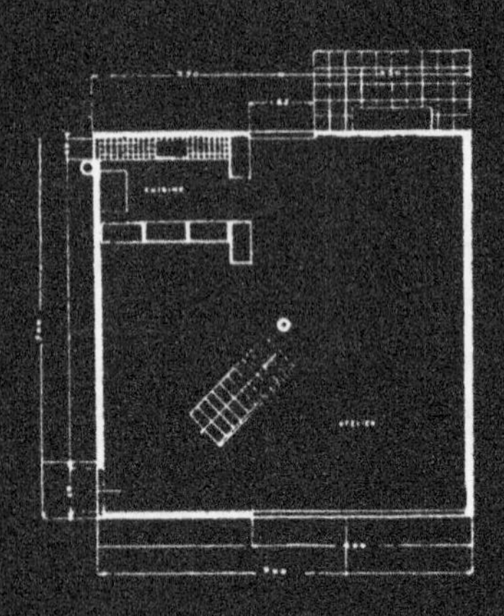

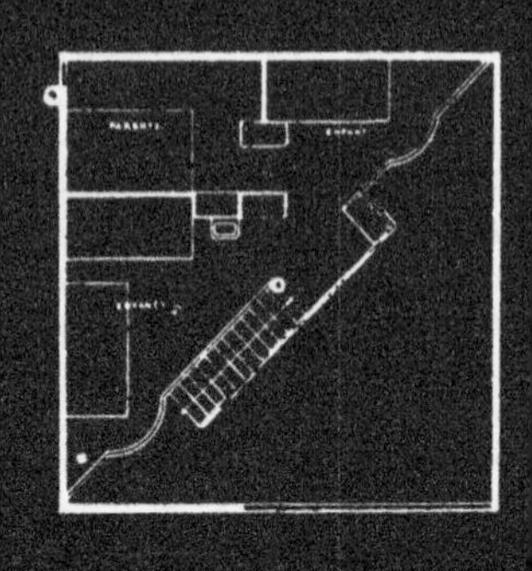

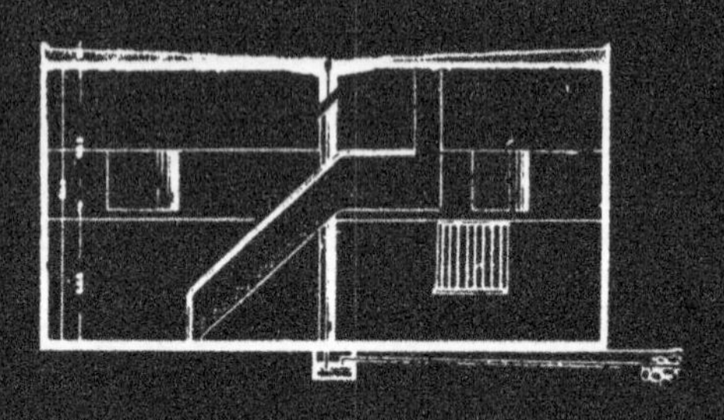

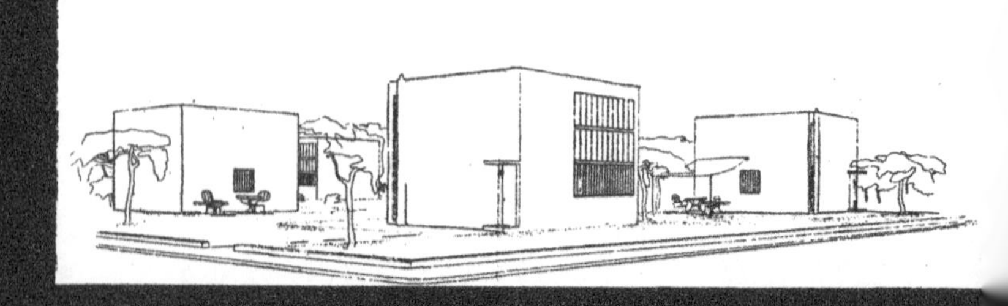

L. C. e P. J. 1924.

Casas em série para artesãos. O problema: alojar artesãos em uma grande oficina (parede livre de 7mx4,50m) bem iluminado.

Diminuir os gastos suprimindo as divisões e as portas, reduzindo por um jogo de arquitetura, as superfícies e as alturas habituais dos quartos. A casa é apoiada sobre uma única coluna, oca, em cimento armado. Paredes isotérmicas em "solomite" (palha comprimida) revestida externamente com 5 centímetros de cimento projetado pelo canhão de cimento, com gesso no interior.

Na casa toda, 2 portas. O sótão em diagonal permite ao teto se desenvolver em toda sua extensão (7mx7m); a parede também mostra suas maiores dimensões e, além disso, cria-se pela diagonal do sótão **uma dimensão inesperada:** essa pequena casa de 7 metros impõe à vista um elemento capital de 10 metros de comprimento.

Vista interior.

As paredes da cozinha e de **uma parte do sótão são constituídas** pelos elementos de série U. P.

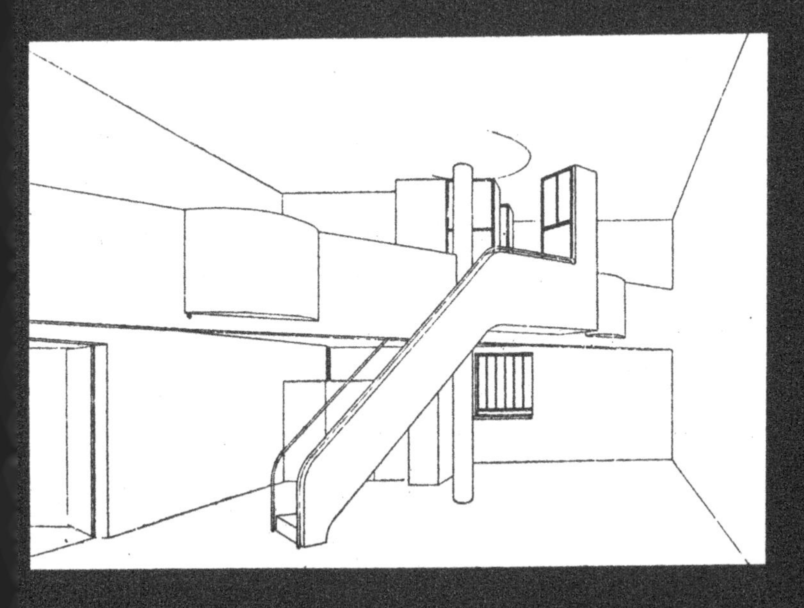

1924. L. C. e P. J. Loteamento ortogonal.

Todas as casas são construídas com elementos padrões, constituindo uma célula-tipo. Os lotes são iguais; a ordenação é regular. A arquitetura aí tem toda latitude para se exprimir com precisão e facilidade.

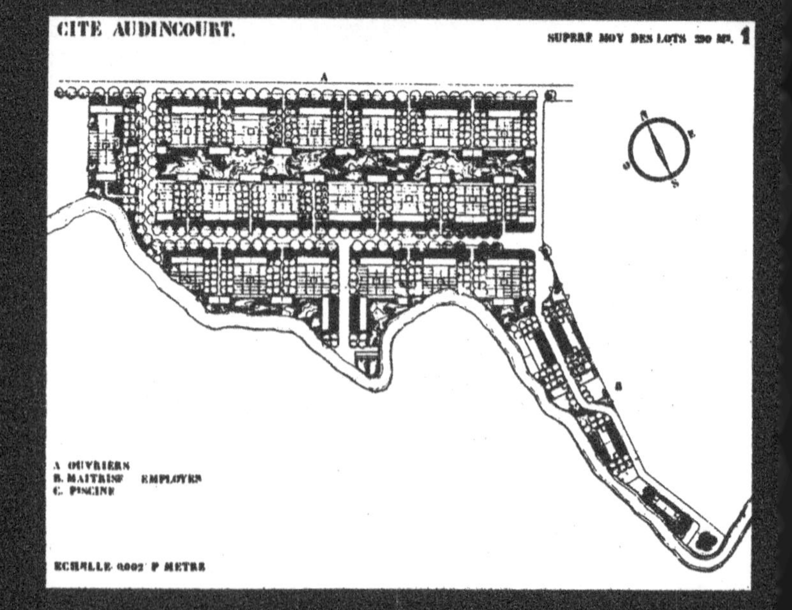

L. C. e P. J. 1925. Casa de Bordeaux.

Construída com elementos de série com as mesmas máquinas que as casas da cidade-jardim de Pessac (p. 210/212).

A série não é um entrave à arquitetura. Ao contrário, ela dá a unidade e a perfeição dos detalhes e propõe a variedade dos conjuntos.

Perspectiva axonométrica da casa.

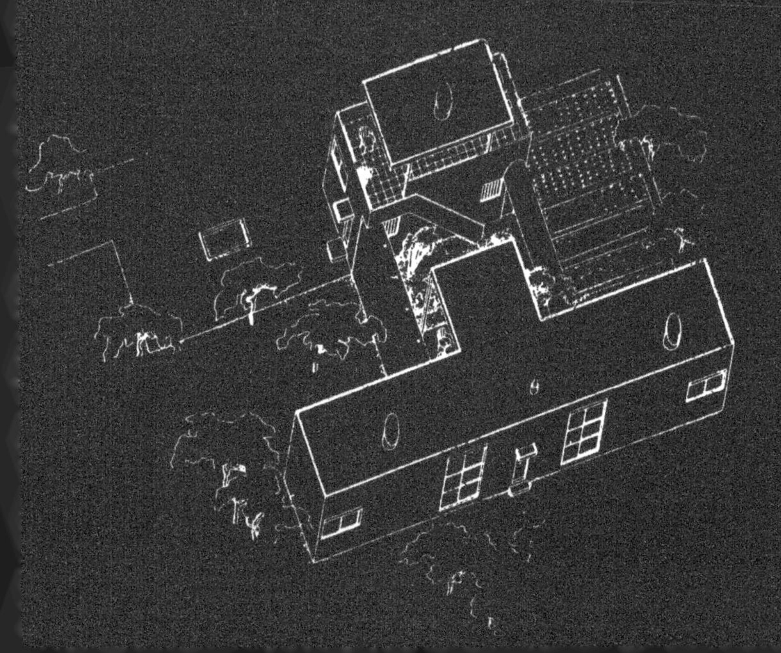

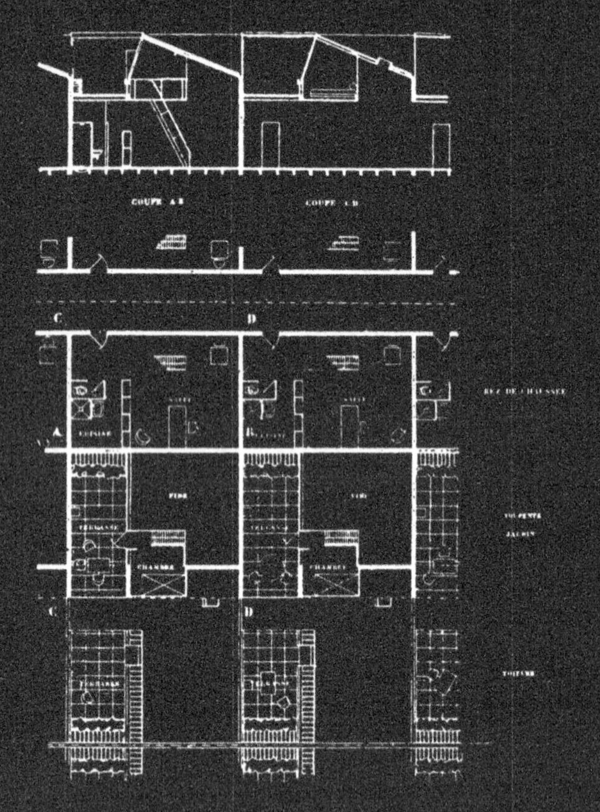

Plantas e cortes.

1925. L. C. e P. J. Cidade Universitária. Constrói-se com grandes gastos cidades para os estudantes esforçando-se por fazer reviver a poesia dos velhos edifícios de Oxford. Poesia cara, desastrosamente cara. O estudante está na idade de protesto contra a velha Oxford; a velha Oxford é uma fantasia do mecenas que doou a cidade universitária. O estudante deseja uma célula de monje, bem iluminada e bem aquecida, com um canto para olhar as estrelas. Deseja encontrar, a dois passos, como praticar esporte com seus colegas. Sua célula deve ser independente, o mais possível.

Todos os estudantes têm direito à mesma célula; seria cruel que a célula do pobre fosse diferente da do rico. Eis aí o problema colocado: a cidade universitária — alojamento, cada célula tem sua antecâmera, sua cozinha, seu w.c., sua sala, sua galeria para dormir e seu jardim suspenso. Paredes isolam cada um. Todos se reencontrarão nos terrenos de esporte contíguos ou nas salas comuns. Classificar, tipificar, fixar a célula e seus elementos. Economia. Eficácia. Arquitetura? Sempre, quando o problema é claro.

A cidade universitária é concebida aqui em **shed** , o modo de construção que permite se estender indefinidamente assegurando uma iluminação ideal e suprimindo as massas de **sustentação** (custosas). As paredes não são mais que enchimentos com matérias leves isolantes.

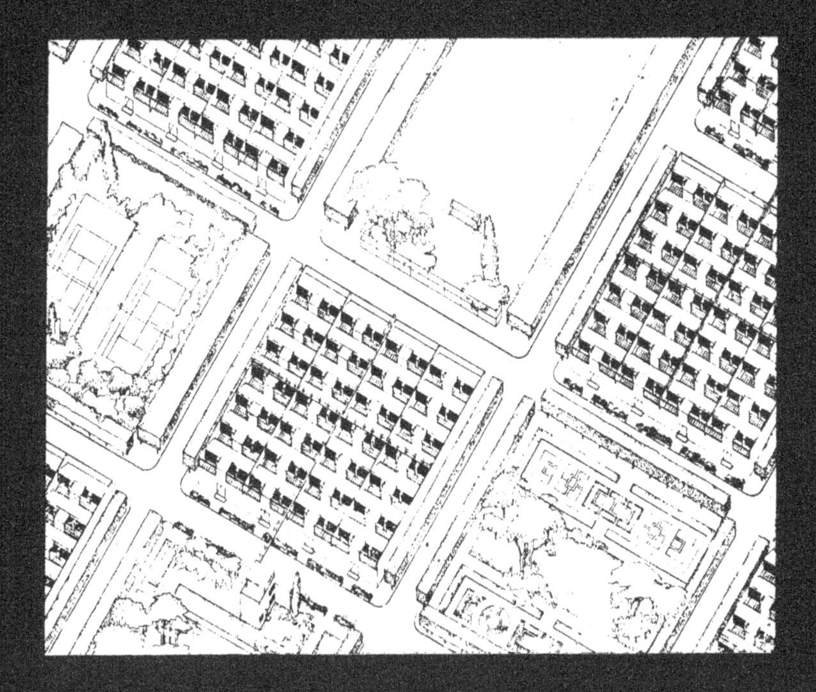

Vista de conjunto.

Detalhes dos terraços-jardim.

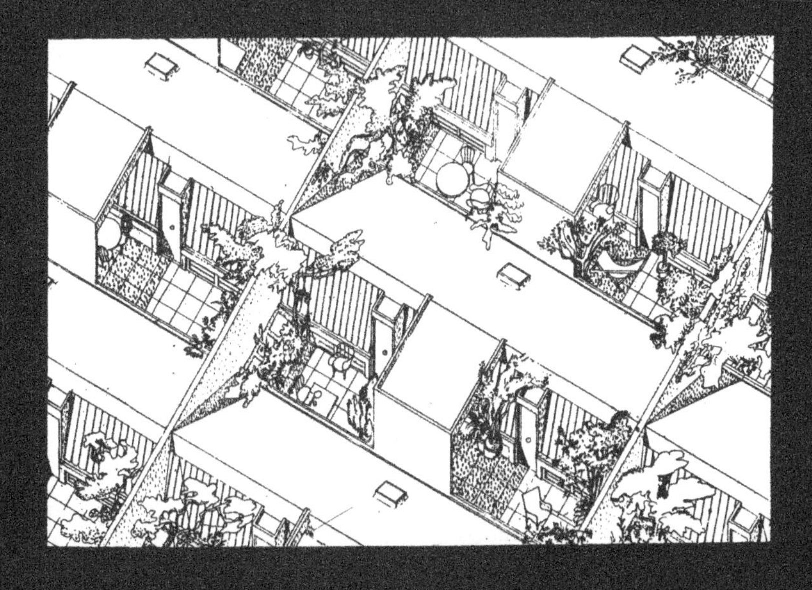

L. C. e P. J. **Atelier** de pintor (ver p. 62).

Ventilador baixa pressão. **(Sociedade Rateau.** Série.)

Arquitetura ou Revolução

Em todos os domínios da indústria, colocaram-se problemas novos, criou-se um instrumental capaz de resolvê-los. Se esse fato é colocado em face do passado, há revolução.

Na construção começou-se a fabricar a peça em série; a partir de novas necessidades econômicas, criaram-se elementos de detalhe e elementos de conjunto: realizações concludentes são feitas no detalhe e no conjunto. Se nos colocarmos diante do passado, há revolução nos métodos e na amplidão dos empreendimentos.

Enquanto que a história da arquitetura evolui lentamente através dos séculos, sobre modalidades de estruturas e decoração, em cinqüenta anos, o ferro e o cimento contribuíram com aquisições que são o índice de um grande poder de construção e de uma arquitetura cujo código foi transtornado. Se nos colocamos em face do passado, veremos que os "estilos" não existem mais para nós, que um estilo de época foi elaborado; houve revolução.

Os espíritos, consciente ou inconscientemente, tomaram conhecimento desses acontecimentos; nasceram necessidades, consciente ou inconscientemente.

A engrenagem social, profundamente perturbada, *oscila entre uma melhoria de importância histórica ou uma catástrofe.*

O instinto primordial de todo ser vivo é de se assegurar um abrigo. As diversas classes ativas da sociedade não têm mais um abrigo conveniente, nem o operário nem o intelectual.

É uma questão de construção que está na chave do equilíbrio rompido hoje: arquitetura ou revolução.

Em todos os domínios da indústria, problemas novos foram colocados e um instrumental capaz de resolvê-los foi criado. Não se tem medido bastante a ruptura havida entre nossa época e os períodos anteriores; admite-se que esta época trouxe grandes transformações, porém, o que seria útil, seria pôr em paralelo sua atividade intelectual, social, econômica e industrial, não somente com o período anterior do começo do século XIX, mas com a história das civilizações em geral. Perceberíamos logo que o instrumental humano, provocador automático das necessidades das sociedades, que não tinha sofrido até aqui mais que as modificações de uma lenta evolução, vem transformar-se repentinamente com uma rapidez fabulosa. A ferramenta humana estava sempre *na mão do homem*: hoje, totalmente renovada e formidável, escapa momentaneamente da nossa mão. O animal humano fica sufocado e ofegante diante dessa ferramenta que ele não sabe apreender; o progresso lhe parece tão detestável quanto louvável; tudo é confusão no seu espírito; sente-se como escravo de uma ordem de coisas demente e não tem o sentimento de uma libertação, de um alívio, de uma melhoria. Grande período de crise e sobretudo de crise moral. Para passar a crise, é preciso criar o estado de espírito de compreensão do que se passa, é preciso ensinar ao animal humano como empregar suas ferramentas. Quando o animal humano tiver se recolocado nos seus novos arreios e quando conhecer a espécie de esforço que lhe é pedido, perceberá que as coisas mudaram: que *melhoraram*.

Ainda uma palavra a respeito do passado. Nossa época se coloca, sozinha com esses cinqüenta últimos anos, em face a dez séculos decorridos. Durante esses dez séculos anteriores o homem ordenava sua vida sobre sistemas qualificados de "naturais"; ele próprio empreendia seu trabalho, o conduzia ao fim, tendo toda iniciativa de sua pequena em-

Edifício Equitable, New York.

Construído pela **Steel Corporation.**

presa; levantava-se com o sol, deitava à noite; deixava suas ferramentas com a preocupação do trabalho em curso e das iniciativas que tomaria no dia seguinte. Trabalhava em casa em uma pequena barraca e a família estava em torno dele. Vivia como um caracol na sua concha, numa morada feita exatamente à sua medida; nada o incitava a modificar esse estado de coisas que era em suma suficientemente harmonioso. A vida familiar se desenrolava normalmente. O pai vigiava seus filhos no berço e depois na barraca; a sucessão dos esforços e dos ganhos se fazia sem choques, na ordem familiar; a família encontrava nisso um sentido. Ora, quando a família encontra um sentido, a sociedade é estável e suscetível de durar. Isso concerne a dez séculos de trabalho organizado sobre o módulo familiar; isso poderia concernir outrossim a todos os séculos passados até meados do século XIX.

Mas vejamos hoje o mecanismo da família. A indústria conduziu à peça de série; as máquinas trabalham em colaboração íntima com o homem; a seleção das inteligências se faz com uma segurança imperturbável: trabalhadores braçais, operários, mestres-de-obras, engenheiros, diretores, administradores, cada um tem seu justo lugar; e aquele que tem o estofo de um administrador não permanecerá muito tempo como trabalhador não-especializado; todos os postos são acessíveis. A especialização prende o homem à sua máquina; exige-se de cada qual uma precisão implacável, pois a peça que passa para a mão do próximo operário não pode ser "recuperada" por ele, corrigida e consertada; ela deve ser exata para poder continuar na exatidão seu papel de peça de detalhe, chamada a vir se ajustar automaticamente em um conjunto. O pai não ensina mais ao filho os múltiplos segredos do seu pequeno ofício; um mestre-de-obra estranho controla severamente o rigor do trabalho restrito e conciso.

O operário faz uma pequenina peça, sempre a mesma durante meses, durante anos talvez, talvez durante toda sua vida. Ele não vê a conclusão de seu trabalho senão na obra terminada no momento em que ela passa brilhante, polida e pura, no pátio da fábrica, para os caminhões de entrega. O espírito da barraca não existe mais, porém certamente um espírito mais coletivo. Se o operário é inteligente, compreenderá os destinos de seu trabalho e terá um orgulho legítimo dele. Quando o *Auto* * publicar que tal carro acaba de fazer 260 km por hora, os operários se agruparão e dirão entre si: "Foi nosso carro que fez isso". Isto é um fator moral que conta.

(*) Jornal especializado em automóveis. (N. do T.)

América. Carro de corrida 250 HP, velocidade 263 km por hora.

Avião Voisin diante do seu hangar.

A jornada de oito horas! Os três de oito * nas fábricas! As equipes se substituem. Esta começa às 10 horas da noite e acaba às 6 horas da manhã; essa outra terminou seu trabalho às 2 horas da tarde. Que foi que o legislador pensou disso quando concedeu a jornada de oito horas? Que vai fazer esse homem que está livre das 6 horas da manhã às 10 horas da noite, das 2 horas da tarde à noite? Até agora somente o "boteco" se premuniu. O que vem a ser da família nessas condições? A morada está lá para receber o animal humano e acolhê-lo, e o operário é bastante culto para saber tirar um partido sadio de tantas horas de liberdade. Mas não, justamente não, a morada é hedionda, e o espírito não está educado para tantas horas de liberdade. Podemos então escrever muito bem: arquitetura ou desmoralização, desmoralização e revolução.

Vejamos outra coisa:

A formidável atividade industrial atual, com a qual nos preocupamos muito forçosamente, põe e cada hora sob nossos olhos, seja diretamente, seja por intermédio dos jornais e das revistas, objetos de uma novidade supreendente e cujo porquê nos preocupa, nos encanta e nos inquieta. Todos esses objetos da vida moderna terminam por criar um certo estado de espírito moderno. Transferimos então com espanto nossos olhos para as velhas podridões que são nossa concha de caracol, nosso alojamento, e que nos oprimem com seu contato cotidiano, pútrido e sem utilidade, sem rendimento. Por toda parte vemos máquinas que servem para produzir alguma coisa e que a produzem admiravelmente, com pureza. A máquina que habitamos é um velho cuco cheio de tuberculose. Não estabelecemos a ligação entre nossas atividades cotidianas na fábrica, no escritório, no banco, sadias, úteis e produtivas, e nossa atividade familiar diminuída a cada volta. Por toda parte mata-se a família e desmoralizam-se os espíritos, prendendo-os como escravos a coisas anacrônicas.

O espírito de cada homem, formado pela sua colaboração cotidiana no acontecimento moderno, consciente ou inconscientemente formulou desejos; esses desejos se referem fatalmente à família, instinto de base da sociedade. Todo homem sabe hoje que necessita do sol, do calor, do ar puro e de pisos limpos; se lhe ensinou a usar um colarinho branco brilhante, e as mulheres gostam de roupa branca e fina. O homem hoje sente que necessita de divertimento intelectual,

(*) Três de oito: três turnos de oito horas de trabalho cada. (N. do T.)

Ponte de ferro.

Navios baldeadores de carvão no Reno.

do repouso corporal e da cultura corporal necessária para recuperar as tensões musculares ou cerebrais do labor, do *hard-labour* *. Esse feixe de desejos constitui uma soma de reivindicações.

Ora, nossa organização social nada tem de imediato que possa responder a isso.

Outra coisa: Quais podem ser as conclusões dos intelectuais em face das realidades da vida moderna?

A magnífica eclosão industrial de nossa época criou uma classe especial de intelectuais tão numerosa que ela constitui a camada social ativa.

Na fábrica, nos escritórios técnicos, nas sociedades de estudos, nos bancos, nos grandes magazines, nos jornais e nas revistas, há os engenheiros, os chefes de serviços, os procuradores, os secretários, os redatores, os contadores, que elaboram, em serviços especializados, as coisas formidáveis que nos ocupam: os que desenham as pontes, os navios, os aviões, que criam os motores, as turbinas, aqueles que dirigem as construções, os que distribuem os capitais e os contabilizam, os que fazem compras nas colônias ou nas manufaturas, os que redigem tantos artigos sobre o que se produz de belo e de horrível, que registram a curva de febre de uma humanidade laboriosa, em parto constante, em crise, em delírio às vezes. Toda a matéria humana passa entre seus dedos. *Eles acabam por observar, por concluir. Essas pessoas têm os olhos fixados sobre a prateleira dos grandes magazines da humanidade.* A época moderna está diante deles, brilhante e radiosa... do outro lado da barricada. De volta a casa, em um conforto precário, retribuídos sem relação verdadeira com a qualidade de seu trabalho, reencontram sua suja concha de velho caracol e não podem sonhar em criar uma família. Se criam uma família, começam o lento martírio que conhecemos. Essas pessoas reivindicam também os direitos à máquina de morar que seja simplesmente humana.

O operário, o intelectual são impedidos de seguir às injunções profundas da família; eles usam, cada dia, da ferramenta brilhante e utilmente ativa da época, mas não têm

(*) Em inglês no original. (N. do T.)

Disco para turbina de 40 000 kw. Fábricas do Creusot.

Antecipação: o avião de amanhã (Breguet).

Ventiladores Rateau, potência horária: 59 000 m³.

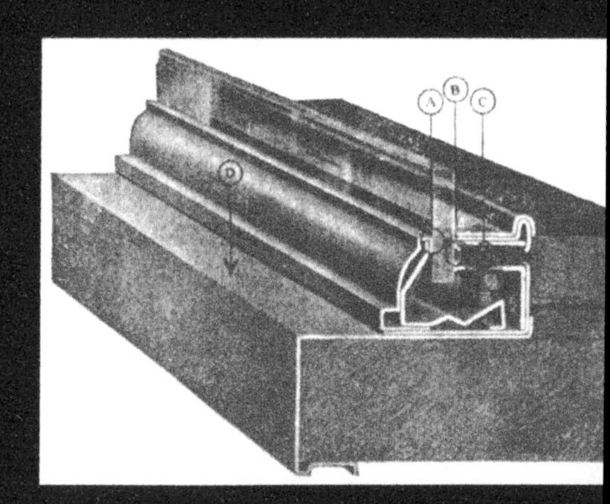

Chicago. Construção de uma janela: industrialização.

Motor da Bugatti.

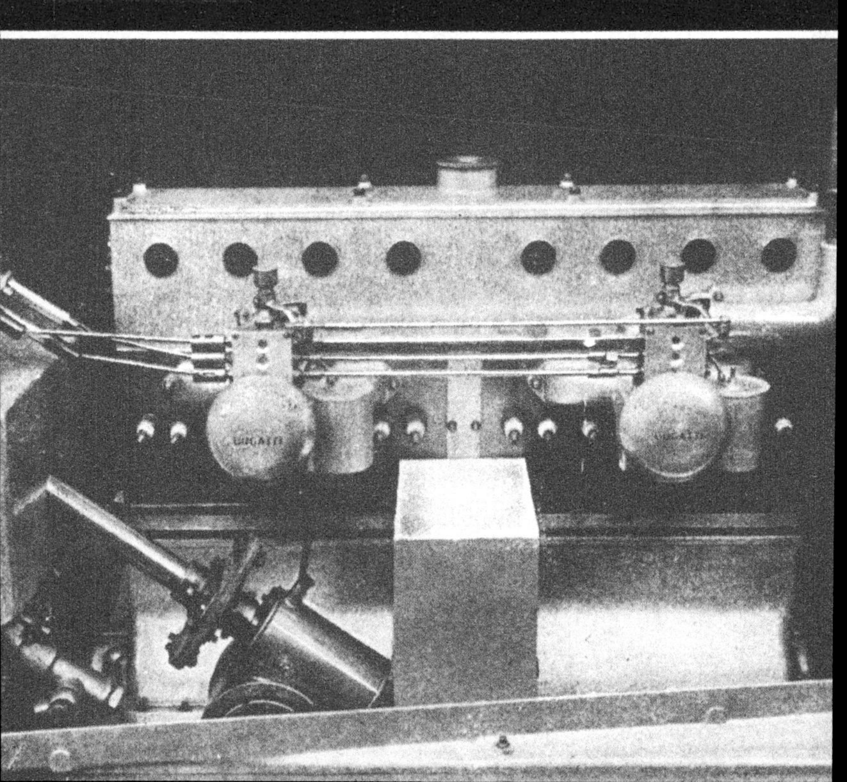

Limousin e Freyssinet. Fábrica.

Concepção e construção de Freyssinet e Limousin.

Largura 80 metros, altura 50 metros, comprimento 300 metros.

A nave de Notre-Dame mede 12 metros de largura e 35 metros de altura.

a faculdade de empregá-la para eles. Nada é mais desanimador, mais irritante. Nada está pronto. Podemos muito bem escrever: arquitetura ou revolução.

A sociedade moderna não retribui judiciosamente os intelectuais, mas tolera ainda as velhas modalidades de propriedade que se opõem à transformação da cidade e da casa. A velha propriedade está apoiada sobre a herança e não sonha senão em inércia, senão em nada mudar, senão em perpetuar o *status quo*. Enquanto todas as outras empresas humanas estão submetidas à rude moral da concorrência, o proprietário sentado sobre suas propriedades escapa principescamente à lei comum; ele reina. A partir do atual princípio de propriedade é impossível estabelecer um orçamento de construção estável. Então não se constrói. Mas se as modalidades de propriedade mudassem, e elas mudam (lei Ribot para o operário, construção de edifícios de aluguel em propriedade de andar etc. ou todas as outras iniciativas privadas ou de Estado, mais ousadas, que pudessem intervir) poderíamos construir, estaríamos entusiasmados em construir e evitaríamos a revolução.

O aparecimento de um tempo novo só intervém quando um surdo trabalho anterior o preparou.

A indústria criou seus instrumentos;

A empresa modificou seus hábitos;

A construção encontrou seus meios;

A arquitetura se encontra diante de um código modificado.

A indústria criou novos instrumentos; as ilustrações que acompanham essas linhas dão disso uma prova expressiva. Uma tal aparelhagem é feita para trazer o bem-estar e tornar mais leve o labor humano. Se colocamos essa renovação em face do passado, há revolução.

A empresa modificou seus hábitos; incumbem-lhe agora as pesadas responsabilidades: o custo, os prazos, a solidez da obra. Numerosos engenheiros ocupam seus escritórios,

Freyssinet e Limousin, empresários. Grande Hangar de dirigível em Orly. Largura 80 metros, altura 56 metros, comprimento 300 metros.

calculam, praticam intensamente a lei de economia, buscam harmonizar esses dois fatores divergentes: o barato e o bem feito. A inteligência está na fonte de cada iniciativa, as inovações ousadas são desejadas. A moralidade da empresa se transformou; a grande empresa é hoje um órgão sadio e moral. Se colocamos esse fato novo em face do passado, há revolução nos métodos e na dimensão das empresas.

A construção encontrou seus meios, meios que, sozinhos, constituem uma libertação que os milênios anteriores tinham buscado inutilmente. Tudo é possível com o cálculo e a invenção quando se dispõe de um instrumental suficientemente perfeito, e esse instrumental existe. O concreto, o ferro transformaram totalmente as organizações construtivas conhecidas até aqui e a exatidão com a qual esses materiais se adaptam à teoria e ao cálculo nos dá cada dia resultados encorajadores, primeiro pelo sucesso e depois por seu aspecto que lembra os fenômenos naturais, que reencontra constantemente as experiências realizadas na natureza. Se nos colocamos em face do passado, medimos então quantas fórmulas novas são encontradas que só esperam ser exploradas e que trarão, se soubermos romper com as rotinas, uma verdadeira libertação das pressões sofridas até aqui. Houve revolução nos modos de construir.

A arquitetura se acha diante de um código modificado. As inovações construtivas são tais que os antigos estilos, pelos quais estamos obcecados, não podem mais corresponder a elas; os materiais empregados atualmente não se prestam às composições dos decoradores. Há uma tal novidade nas formas, nos ritmos, fornecida pelos procedimentos construtivos, uma tal novidade nas ordenações e nos novos programas industriais, locativos ou urbanos, que finalmente explodem em nosso entendimento as leis verdadeiras, profundas, da arquitetura que são estabelecidas sobre o volume, o ritmo e a proporção; os estilos não existem mais, os estilos nos são exteriores; se nos assediam ainda, são como parasitas. Se nos colocamos em face do passado, constatamos que a velha codificação da arquitetura, sobrecarregada de artigos e de regulamentos durante quarenta séculos, cessa de nos interessar; ela não mais nos diz respeito; houve revisão dos valores; houve revolução no conceito de arquitetura.

Inquieto pelas reações que agem de toda parte sobre ele, o homem atual sente, de um lado, um mundo que se elabora regularmente, logicamente, claramente, que produz com pureza coisas úteis e utilizáveis, e, de outro lado, ele se encontra desconcertado em um velho quadro hostil. Esse quadro é a sua morada; sua cidade, sua rua, sua casa, seu

As fábricas "Fiat" em Turim, com o autódromo sobre o teto.

apartamento se levantam contra ele e, inutilizáveis, o impedem de prosseguir no repouso o mesmo caminho espiritual que percorre no seu trabalho, o impedem de prosseguir no repouso o desenvolvimento orgânico de sua existência, o qual é o de criar uma família e de viver, como todos os animais da terra e como todos os homens de todos os tempos, em família organizada. A sociedade assiste assim a destruição da família e percebe, aterrorizada, que morrerá por causa disso.

Um grande desacordo reina entre um estado de espírito moderno que é uma injunção e um estoque asfixiante de detritos seculares.

É um problema de adaptação em que as coisas objetivas de nossa vida estão em jogo.

A sociedade deseja fortemente uma coisa que ela obterá ou não. Tudo está aí; tudo depende do esforço que se fará e da atenção que se concederá a esses sintomas alarmantes.

Arquitetura ou revolução.

Podemos evitar a revolução.

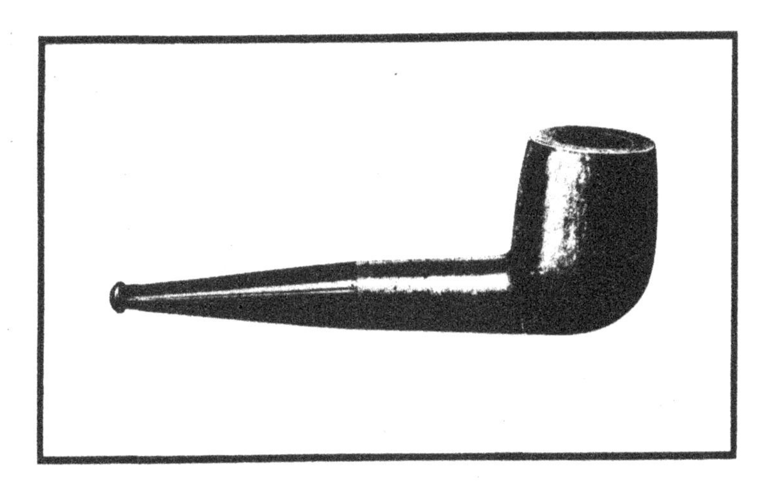

Cooperativa "o Cachimbo".

CRÉDITOS DAS ILUSTRAÇÕES

Lucien Hervé, XII, XIII
Pierre Jeanneret, XVI
Draeger, 70
Branger, 76
La Vie Automobile, 90
Albert Morancé, 94, 95, 100
Houstache, 182

ARQUITETURA NA PERSPECTIVA

Quadro da Arquitetura no Brasil
Nestor Goulart Reis Filho (D018)
Bauhaus: Novarquitetura
Walter Gropius (D047)
Morada Paulista
Luís Saia (D063)
A Arte na Era da Máquina
Maxwell Fry (D071)
Cozinhas, Etc.
Carlos A. C. Lemos (D094)
Vila Rica
Sylvio de Vasconcellos (D100)
Território da Arquitetura
Vittorio Gregotti (D111)
Teoria e Projeto na Primeira Era da Máquina
Reyner Banham (D113)
Arquitetura, Industrialização e Desenvolvimento
Paulo J. V. Bruna (D135)
A Construção do Sentido na Arquitetura
J. Teixeira Coelho Netto (D144)
Arquitetura Italiana em São Paulo
Anita Salmoni e Emma Debenedetti (D173)
Cidade e o Arquiteto
Leonardo Benevolo (D190)
Conversas com Gaudí
Cesar Martinell Brunet (D307)
Por Uma Arquitetura
Le Corbusier (E027)
Espaço da Arquitetura
Evaldo Coutinho (E059)
Arquitetura Pós-Industrial
Raffaele Raja (E118)
A Casa Subjetiva
Ludmila de Lima Brandão (E181)
Arquitetura e Judaísmo: Mendelsohn
Bruno Zevi (E187)
A Casa de Adão no Paraíso
Joseph Rykwert (E189)
Pós-Brasília: Rumos da Arquitetura Brasileira
Maria Alice J. Bastos (E190)
A Idéia de Cidade
Joseph Rykwert (E234)
Interior da História
Marina Waisman (E308)
O Culto Moderno dos Monumentos
Alois Riegl (EL64)
Espaço (Meta)Vernacular na Cidade Contemporânea
Marisa Barda (K26)
História da Arquitetura Moderna
Leonardo Benevolo (LSC)
Arquitetura Contemporânea no Brasil
Yves Bruand (LSC)
História da Cidade
Leonardo Benevolo (LSC)
Brasil: Arquiteturas Após 1950
Maria Alice Junqueira Bastos e Ruth Verde Zein (LSC)

URBANISMO NA PERSPECTIVA

Planejamento Urbano
Le Corbusier (D037)
Os Três Estabelecimentos Humanos
Le Corbusier (D096)
Cidades: O Substantivo e o Adjetivo
Jorge Wilheim (D114)
Escritura Urbana
Eduardo de Oliveira Elias (D225)
Crise das Matrizes Espaciais
Fábio Duarte (D287)
Primeira Lição de Urbanismo
Bernardo Secchi (D306)
A (Des)Construção do Caos
Sergio Kon e Fábio Duarte (orgs.) (D311)
A Cidade do Primeiro Renascimento
Donatella Calabi (D316)
A Cidade do Século Vinte
Bernardo Secchi (D318)
A Cidade do Século XIX
Guido Zucconi (D319)
O Urbanismo
Françoise Choay (E067)
Regra e o Modelo
Françoise Choay (E088)
Cidades do Amanhã
Peter Hall (E123)
Metrópole: Abstração
Ricardo Marques de Azevedo (E224)
História do Urbanismo Europeu
Donatella Calabi (E295)
Área da Luz
R. de Cerqueira Cesar, Paulo J. V. Bruna, Luiz R. C. Franco (LSC)
Cidades Para Pessoas
Jan Ghel (LSC))
Cidade Caminhável
Jeff Speck (A&U)

COLEÇÃO ESTUDOS (últimos lançamentos)

326. *Os Ensinamentos da Loucura: A Clínica de Dostoiévski*, Heitor O´Dwyer de Macedo
328. *A Pessoa Humana e Singularidade em Edith Stein*, Francesco Allieri
330. *Luxo & Design*, Giovanni Cutolo
333. *Teatro Hip-Hop*, Roberta Estrela D'Alva
333. *O Soldado Nu: Raízes da Dança Butō*, Éden Peretta
334. *Ética, Responsabilidade e Juízo em Hannah Arendt*, Bethania Assy
335. *Alegoria em Jogo: A Encenação Como Prática Pedagógica*, Joaquim Gama
36. *Jorge Andrade: Um Dramaturgo no Espaço Tempo*, Carlos Antônio Rahal
37. *Nova Economia Política dos Serviços*, Anita Kon
38. *Arqueologia da Política*, Paulo Butti de Lima
39. *Campo Feito de Sonhos*, Sônia Machado de Azevedo
40. *A Presença de Duns Escoto no Pensamento de Edith Stein: A Questão da Individualidade*, Francesco Alfieri
41. *Os Miseráveis Entram em Cena: Brasil, 1950-1970*, Marina de Oliveira
42. *Antígona, Intriga e Enigma*, Kathrin H. Rosenfield
43. *Teatro: A Redescoberta do Estilo e Outros Escritos*, Michel Saint-Denis
44. *Isto Não É um Ator*, Melissa Ferreira
45. *Música Errante*, Rogério Costa
46. *O Terceiro Tempo do Trauma*, Eugênio Canesin Dal Molin
47. *Machado e Shakespeare: Intertextualidade*, Adriana da Costa Teles
48. *A Poética do Drama Moderno*, Jean-Pierre Sarrazac
49. *A Escola Francesa de Goegrafia*, Vincent Beurdoulay
50. *Educação, uma Herança Sem Testamento*, José Sérgio Fonseca de Carvalho
51. *Autoescrituras Performativas*, Janaina Fontes Leite
53. *As Paixões na Narrativa*, Hermes Leal
54. *A Disposição Para o Assombro*, Leopold Nosek

Este livro foi impresso em Cotia,
nas oficinas da Meta Brasil,
para a Editora Perspectiva.